FLORALS

Word Search & Doodle

```
M R M E L E G A L Y R E T S Y M G K L N
X F O U T S U D A Y T Y D U T S E A A N
V E E L A N N A D F J M W U R A Y X K F
O U I C E G A R F O O N K C I B I I P I
P H S J N E I J B R O D S E A R C H D P
R L T A J V L Z S H O L W E L V Q A N A
I X N N R I L E Y U M S B H D B B Q K N
N K I D S T U F W J Q X T T C S G W O A
T C R Y B C W O O X M C P X A K U S J H
N A P K H E Y Y V B Q S S E N T I W P H
N R R Z O T X K Y O J E V O L R L S Z G
T S E Y L E H Q N W N Z Y D P W T Z N N
F G G B M D Q E Z L G P B N N D Y E A U
L N N T E K U T N I A S M J O C V C W G
Y Q I V S S X U R W H X C I S I F I L E
O H F H H A O X B C W B B N T P V Y J H
H L X O T R A C K K A D K O A B Y H V Q
D D O O D U A R F G L L M C W O T C D R
E T E C I L O P F S G S H B R L E W I S
E V L O S R I Y D T B N U A E S A C V P
```

TV DETECTOR

- ANNA LEE
- BLOOD
- CARS
- CASE
- CLUE
- DABS
- DETECTIVE
- DUST
- FILE
- FINGERPRINTS
- FRAUD
- FROST
- GUILTY
- GUN
- HOLMES
- LAW
- LEGAL
- LEWIS
- LOVEJOY
- MORSE
- MOTIVE
- MYSTERY
- POLICE
- PRINT
- PRISON
- SAINT
- SEARCH
- SHOOT
- SOLVE
- STUDY
- TRACK
- TRIAL
- WATSON
- WITNESS

```
M X Q X I E R C E T R E T S M A H I M L
L E T G U C F P N S O Y X M W J T C A X
Y B K K Z B H E H F R A Z K O L V Z Q O
G K R L A P K J M L S O D G O T D M U O
W U P G E C Y B U D L J H P G I G V P R
M A O R I E B J E N C K B K V O N Q C K
K A S H K O L M S X W I I E R E E O Z T
T F C N M U X C O E C T B G O C M D B A
R S O D B C V A Q O T I I L T I E R P J
F M P D L B X N J E P P C L A M M R I Y
U K Z M C C O A N E A X T E G T Y G N E
K E U T K J W R W K R U U F I A N W Q R
K C O C A E P Y F A R P R M L P A O Y S
Q M X O R Q M U E N O V T E L J H P Y T
C R O W Y V I P I T T G L P A V I M M A
R B G M H P H L A G O X E X U O O P T J
U L O T C Y C S W R W N L F D G O Q S O
I A O U A B Q J F M Q P J O K Y C Z S L
T M S U J C L R G Z D L D J A U C O C X
Q B E T G C J W S W A N M X G L A G D L
```

ANIMAL MIX

- ALLIGATOR
- ANT
- CANARY
- CAT
- CHICKEN
- CHIMP
- CROW
- FROG
- GOAT
- GOOSE
- HAMSTER
- HORSE
- KITTEN
- LAMB
- MICE
- MONKEY
- MYNAH
- PARROT
- PEACOCK
- SWAN
- TOAD
- TURTLE

```
C H J Q Q U Q Z G U X C G K U C F P J F
R L H T P N R O B S I R A T S A J K G W
D I O L F W E A S T E R P A R A D E U K
W S N P M M W H K Y O U S Q Z I A F A C
H T Y P R J V O K C O T S R E M M U S O
M E K Z S G N I S Y D O B Y R E V E H L
U N E D A R A P N I K S G I P O U J B C
B D Z H F Y Z A R C L R I G I R E X M E
A A I X S I U O L T S N I E M T E E M H
B R E N L F O R F V P V N Z Q B L B B T
E L G D I V W O R D S A N D M U S I C S
S I F C E U K K D B E T A R I P E H T O
I N E A N L F O R M E A N D M Y G I R L
N G L O Z Q D Q W Z G R M F I N R J O V
A R D K O U O I E Z L G N M U Z B T Q E
R K G M D B A B E S O N B R O A D W A Y
M R I E P W M Z O F O D R A Z I W E H T
S D R O W S J N C X I R F N Q R T D D N
D E L H T I S G L J K B G W E U T X D G
Z Y D R A H Y D N A S D N I F E V O L A
```

FILM FEATURE

- A STAR IS BORN
- BABES IN ARMS
- BABES ON BROADWAY
- EASTER PARADE
- EVERYBODY SING
- FOR ME AND MY GIRL
- GIRL CRAZY
- LISTEN DARLING
- LOVE FINDS ANDY HARDY
- MEET ME IN ST. LOUIS
- PIGSKIN PARADE
- SUMMER STOCK
- THE CLOCK
- THE PIRATE
- THE WIZARD OF OZ
- WORDS AND MUSIC
- ZIEGFELD GIRL

```
C N F H N N L M N M P A O U I Q K J R J
E I X I S D R A T O E L F R F G M N V G
C Y U M R J L I U Y W H T A F N W V H F
M S P E U M T H G I E W B T A M Z Z E F
G R S B X S U V A R E L A Z F N G Y M K
W G X T C E C P Y O X N S Z L H U F Z E
G B U L G E S L J P O O L E A N A A R X
P X S P P W B Q E V L M C I B F E U S N
E L C Y C I B E T S K R L L B J G Z Q I
G L O C K E R E A M T O A E Y I S S K I
H T L A E H G Y C X O O X Z F L P Y S E
V J R X S A W B F P A E U R I U P T S G
Z E R U S A E M L R R X E M H I H Y X V
R Y F S A X H R X C L W S S S G G W Q S
S B A G H Z I Y I E O A U S I I E F W V
T M U Y B H T S Q H Y P B T E O Z I W W
E F U B W F E D S T S J R D D N M E Q A
A U S   H C I R G R J O G U H R T K M M
M E K O X E A M Z I P J V U N E X I A W
A P S G T E A X F M U P M X G S E Y F D
```

KEEP FIT

- BICYCLE
- BULGES
- DIET
- EXERCISE
- FAT
- FIGURE
- FIRM UP
- FITNESS
- FLABBY
- GYM
- HEALTH
- JOG
- LEOTARDS
- LOCKER
- MASSAGE
- MEASURE
- MUSCLES
- POOL
- PUSH UPS
- RUN
- SAUNA
- SHOWER
- SIZE
- SLIM
- SPA
- STEAM
- SWIM
- TIGHTS
- TRIM
- WEIGHT
- WHIRLPOOL

```
B J B L L T A G C D A P M L S W T K K J
R Y E B K A L S W W U L E Q L P C B B C
E L D P W L L P E O M E M O N E E V Y O
H W O T S K E E H Y R D C E Q S T A V N
P B V W S E T E L E H D W T E I M D K V
U G S Y H R T C W V U S S L A V R D Y E
B Y L R A I E H C N O H B G K D O R G R
L N G E R W R V G O Z A C K B A F E T S
I F C P E N P C O C C E T A R O N S W E
C V V O O O R U R I U Q H F T O I S E W
I N Z R G T U E N N P U L M I S E O G T
S L K T R E B M V F X I L D T B L C A N
E D A E R S U W S E J C A C L A C Y S I
P H O N E P C F J T A R C Q T A P Y S H
U K G R V O I C E P A L U C Z L N E E D
B R I A L R B U S G M T X L H N U G M V
L J W Y I M A O N W Q H E V E B Y N I M
I Q H P P T T I W R I T E P B L U A V S
S C O D E D S G T P T I D I N G N N S K
H X K I F W J T S A B N T R A P M I C O
```

COMMUNICATING

- ADDRESS
- ADVISE
- AIR
- CABLE
- CALL
- CODE
- CONVERSE
- CONVEY
- HINT
- IMPART
- INFORM
- LETTER
- MEMO
- MESSAGE
- NEWS
- NOTE
- ORATE
- PEN
- PHONE
- PUBLICISE
- PUBLISH
- READ
- REPORT
- REVEAL
- SAY
- SHARE
- SIGNAL
- SING
- SPEAK
- SPEECH
- STATE
- TALK
- TAPE
- TELL
- TIDING
- VOICE
- WIRE
- WORDS
- WRITE

11

```
Y A W A R A C I W H C J M R U Y R L S L
W L E N N E F J L J S J R S Y R T F Q X
R J W S Z P A Y A V X D F K V A Z B G S
N D B Y M U N H E C M G Y R X M V J H R
B G S H C A C E M O I F I O B E I Q I A
M D L O T C C Y I R W L K C I S S A G E
A Q B T R A N X N E J U E O L O M B V N
R E I A R R T M T G O U U G F R U C V I
O D N X K E E M T A U P C L N Q S D Y N
J M T C X U D L Y N L E Y Y E A T L N Y
R F S B A B P N Y O S M B S H Q A U S G
A N X Q U K J W A I I L E U T D R T Y O
M O E M Y H T G N I X T I Z Y U D A N S
M G P K T F F A M M R L D V C G N D M D
V A R X P U Q N I X L O I B R W J I W X
X R O J M Z D Y S N A T C S S E E L P F
H R S M V F P R W N H Q D U A Y H L B F
A A X H O R E H O U N D P X U B N C M E
E T A L I S Q Y Y Y Q K U W Z L S M S U
J Q N I P A R S L E Y R T I P I F K W R
```

HERBAL

- ANGELICA
- ANISE
- BASIL
- CARAWAY
- CHERVIL
- CORIANDER
- DILL
- DITTANY
- FENNEL
- HOREHOUND
- MARJORAM
- MINT
- MUSTARD
- OREGANO
- PARSLEY
- ROSEMARY
- RUE
- SAGE
- SORREL
- TANSY
- TARRAGON
- THYME

```
X Q N R A E F O Q U L P Z K P S J K M V
T T S F S P M C S F Y S T W I T H I Y I
O G R Z D I F S Y A D N Z A O D R X N W
I E S G W X Z L K B E Q L K C Z R T Y O
V U B D N D E E W T A L D R N D N F R R
E U D E N Y W T L V E U K H F O M L V R
T X O U O O A I E N T J K T O W W K A A
A O Y D V W T P I Y X T X D U T E L D Y
S N P A E S C M G O A A I N O M L I O C
Y Y S E D Y U C O Z I A O C C A M Q N B
Z A K R R Y T P B R G R E R N Y H E D N
H T D I A E V F O Y E R S W L Y U E L H
W P G A N W T Y H V Z B X A B H Z U H T
L E V E N T W A E Q A E N O R R A C T A
B D I S A E Z D W T J L T F M R P I I E
O O B K N I C G I A F D Y T O M A W N N
U V Z Y S T A Z Z F L A Y T R R W P U Y
X E W U I H R J H F A A Y Q O I T A W X
G Y A Y V S T A S M A Q G F Z P C H F Y
J C O D E A L Y J E V I T E U F J K T V
```

RIVER CROSSING

- AIRE
- ALLAN
- ALLEN
- ANNAN
- BOGIE
- CARRON
- CART
- DEVERON
- DEVON
- DON
- DOON
- DOVEY
- EARN
- ESK
- ETIVE
- ETTRICK
- FORTH
- FOYERS
- GALA WATER
- LEVEN
- NEATH
- NITH
- TAFF
- TAWE
- TAY
- TEITH
- TEVIOT
- TUMMEL
- TWEED
- WYE
- YARROW
- YSTWITH

```
L S Q U A R E Q G Q D B D L E E Q M X N
T Q Y R T Z G D C I E H Z B M W V K U O
O V A L R C K O G A L Q V W U E X Z Q G
B D G N I I B A D Q C U Z R I C G U F A
P C N E A R Q Y Z U R A B N Z T J Q Z N
K L O V N C P I V A I D T O E F J Y M O
N X G Z G L M B Z D C R N G P E E T F N
O Y A J L E M U B R I A E A A R N E L A
G N X M E T X A C A M N C T R H T T I O
I H E E O X W J R N E T S C T O D R G I
R E H P L E I C F G S H E O G M J A N N
T P N F S G H H G L O T R H U B C G O O
G T B O P S N J U E A L C X J U U O B G
Y A C U G E N A T C A B E S E S R N L A
K G U R K A N O T S B T F L H M V N O C
O O T H A W C T G C O N X G L W E S N E
H N U B G O V E A Y E J P X B A U H G D
W E Z X Y F E K D G L R S T E Z R P S N
M Z J E H E G O S O O O B X I Y Y A C G
U H G S F L X Q E Q D N P U E F N R P S
```

ALL SHAPES

- ARC
- CIRCLE
- CRESCENT
- CURVE
- DECAGON
- DODECAGON
- HEPTAGON
- HEXAGON
- NONAGON
- OBLONG
- OCTAGON
- OVAL
- PARALLELOGRAM
- PENTAGON
- POLYGON
- QUADRANGLE
- QUADRANT
- RECTANGLE
- RHOMBUS
- SEMICIRCLE
- SQUARE
- TETRAGON
- TRAPEZIUM
- TRIANGLE
- TRIGON

```
H  M  D  N  O  V  W  K  C  E  Q  I  T  U  U  M  M  U  R  S
O  Y  O  T  A  C  S  O  M  R  G  P  C  N  Q  U  S  C  B  Z
O  F  N  D  A  J  N  D  O  E  L  I  U  Y  G  V  K  A  M  D
P  L  U  W  B  I  M  V  A  O  W  A  V  D  C  N  G  C  X  U
G  L  Z  K  S  U  B  D  E  M  I  X  E  Z  P  I  A  C  L  Q
N  F  S  M  O  L  N  D  Y  J  O  N  E  G  O  Q  I  C  X  L
Z  A  S  S  E  L  L  R  O  L  G  O  S  L  K  V  X  L  X  J
C  B  L  N  O  A  N  A  C  U  M  K  A  P  R  Z  Q  G  Q  B
Z  I  D  W  N  T  L  I  G  D  X  B  U  X  A  P  A  M  U  A
D  W  J  L  I  E  T  S  M  F  E  C  H  A  F  R  K  L  M  S
P  E  C  M  G  N  I  C  F  L  R  T  O  Q  R  A  K  W  V  T
U  U  R  K  V  H  E  K  R  R  V  L  I  L  K  I  Q  L  S  R
T  I  W  C  E  B  V  L  F  H  S  N  F  H  O  K  Y  F  E  O
A  U  P  V  F  X  O  K  A  S  U  V  E  Z  W  U  F  N  F  N
Q  B  R  Y  A  K  O  T  S  T  L  V  R  O  W  A  R  R  W  G
P  E  O  B  G  N  U  H  T  C  Z  E  M  N  A  X  A  I  S  W
S  W  N  J  M  O  H  N  Z  L  W  F  E  S  H  N  B  M  G  E
C  D  T  T  E  E  W  S  Q  J  E  H  N  K  C  Q  E  J  K  V
W  L  I  T  N  A  M  U  P  S  S  E  T  E  H  L  O  S  Q  B
H  Y  P  G  V  U  Y  D  W  F  H  Y  I  B  L  P  R  T  O  L
```

WINE LIST

- BLEND
- BOTTLE
- BRUT
- BULK
- CASK
- COLOUR
- CUVEE
- DEMI
- DOUX
- FERMENT
- FRANCE
- LABEL
- LATE
- LOT
- MOSCATO
- RED
- SERVE
- SMELL
- SPARKLE
- SPUMANTI
- STRONG
- SWEET
- WHITE
- WINE

```
V V B R L C M W Y H P H A H I C E M R Y
C R S G Q Y R L D Z A O T A Z U W V V N
G I T K E C Q S Z F X C I I C V Z A Y Q
H O N I S L R E I T L K I T G E O C S W
V K E C Z E B C C F Y E K N B F N B D R
E I V S M S B A K U U Y V D N C I B E E
S B E W E P D R W Y R E H C R A Q F C S
O H Q Q M P V D R Z H A R U B C O W Y T
S J O A I B Y R T N U O C S S O R C L L
E C I T T U S T E E P L E C H A S E G I
F K L H P Z C X P Y A G X I G P C I R N
G R P E Q U E Q U E S T R I A N K O Q G
N L A M V G T B A S K E T B A L L O I P
I U O Z A R E L A Y S W I M M I N G G V
W Y I M T H N G H U R D L E S T U E C B
O T E F J L C W O B G C R S C N G L C A
R S Z C G V B P O P V H J Z K L T P V E
M J F T B O X E R M M E D A L X L P L S
A O T A Q Z R E C C O S U C S I D V S P
M A R A T H O N J H S T R O P S K R R K
```

GAME PLAN

- ARCHERY
- BASKETBALL
- BOXER
- CHAMP
- CROSS-COUNTRY
- CYCLES
- DISCUS
- EQUESTRIAN
- EVENTS
- GAMES
- HOCKEY
- HURDLES
- MARATHON
- MEDAL
- RACES
- RELAY
- ROWING
- SHOT-PUT
- SOCCER
- SPORTS
- STEEPLECHASE
- SWIMMING
- TIME
- WRESTLING

```
W S B I C Y C L E N Z B W S L E E H W Q
S V G Y B H S S S H V R I M S T R U A Q
P S E V S I Z P L T J W R K K I H O C Y
I O A D V F A Z T G H L T V Z F A P H V
L R R B K M G I H C D Y A Z K T N D L A
C E L R M I E W X T R L K Z S U D Z D L
E N E A S E A D G E V K L S B O G K A V
L R V K R A R B S E F K I E I E R M L E
C E E E A I S X N T O R L U B R I B S D
Y A R S B X Y U O W I L A Y P U P H A C
C R C L E G T O J S P W R M B T S H D P
I L G R L C L I C A P K Q O E C R E D A
B I P W D S Z M D D L R U N M N E L L C
X G U L N L U L U D K J O C M U F M E E
M H M N A T O V K L S K X C Q P L E B V
C T P Z H C Y E K E P L T G K P E T A L
F R J T K E H E Q B Z A A L B E C N G A
Y P G U S D A P E K A R B D Z R T S P V
T R O F R O N T L I G H T X E C O E Q J
C H A I N W H E E L T W A D P P R F K U
```

FREE-WHEELING

- BELL
- BICYCLE
- BICYCLE-CLIPS
- BRAKE PADS
- BRAKES
- CHAIN-WHEEL
- FRAME
- FRONT-LIGHT
- GEAR LEVER
- GEARS
- HAND-GRIPS
- HANDLE-BARS
- HELMET
- MAPS
- PADLOCK
- PEDALS
- PUMP
- PUNCTURE
- OUTFIT
- REAR LIGHT
- REFLECTOR
- RIMS
- SADDLE
- SADDLE-BAG
- SPROCKET
- TOOLS
- TYRES
- VALVE
- VALVE CAP
- VALVE NUT
- WHEELS

```
K N K F R E V F S C E N E M N E D Z P Y
S U W O R P Y R J C C N C A I E Q F L W
M W T J X E S S E R T C A K B N S H B W
K C Y A M J H T G F I L F E X S H L A G
A K N I K E B E N W I X A U S H L X U V
P B O W M M X W A G Y V E P Q A F B Y K
Z R C S Z X D T H R H I F G C V E S S C
W X L J T C R T R F S J S N A B W E P A
E Y A U O A S A O A A A I C N T L M O R
B E B M D S B D B H I A L J M E S U R T
O P E A L T Z U I C T E E U F C A T P S
Z D D V Z S V B F R H D S J K U E S K E
Y S N U E R I U U S E T E T N E V O Y H
R Q D R S Q H C N P Z C A J R E Q C V C
R O B O Z A M A R D Z U T E K C I T M R
T E Y L E C T W W N J R S O L B I O T O
Y W H E M R O F R E P H O W R Q G B H B
P J A S O D N I C R K V O H I X Y T Y H
I S G F U E N O H P O R C I M Z U B P B
D X C S G D H K Q Q M I B I S E G O L W
```

CURTAIN RAISER

- ACTOR
- ACTRESS
- BALCONY
- CAST
- COMEDY
- COSTUMES
- CUE
- CURTAIN-CALL
- DIRECTOR
- DRAMA
- EXTRA
- LIGHTS
- LOGES
- MAKE-UP
- MICROPHONE
- ORCHESTRA
- PERFORM
- PROPS
- REHEARSAL
- ROLE
- SCENE
- SEATS
- STAGE
- TICKET
- USHER

```
I U R E F U N D S W Q D O N A T I O N T
T F A U X M I P A Y M E N T D Y I M T V
J E X W S R N G Q Y W T M R D S S L E T
D S H S R E C E I P T S A Y P N P S K C
E I N J G T O H D M H W X T R K B E R E
P A G G W C M P U Z E I A I O P O C A L
O R P G W J E T A R C R T U F E N N M L
S L S E M J E Z Y R I J S N I Z D A F O
I P E Y N N R G L A B N E N T I K N T C
T U X S G S Y Q F H S P V A Q R N I N T
F R A W R B I Q O Q Q Q N C M P A F E C
A C T S A E G O C Z Y M I I E X B E M A
V H E A N N L X N S E D A W I L O E W X
B A T V T E H C Y G X L R O O I Q S O R
I S S I X F T H D W C G L U G H Y R D B
F E U N Q I V E B Z G Q W I X Z G V N O
R V R G K T L R E S O U R C E S Z M E N
B H T S K P U O E A R N G A A B H I X U
Z Y N Q U D I V I D E N D P P A F M J S
D M Q G R O S S R E T U R N S Y D L J C
```

CHEQUE MATE

- ANNUITY
- BANK
- BENEFIT
- BOND
- BONUS
- CLAIM
- COLLECT
- DEPOSIT
- DIVIDEND
- DONATION
- EARN
- ENDOWMENT
- FAIR
- FEES
- FINANCES
- GRANT
- GROSS
- INCOME
- INVEST
- MARKET
- PAYMENT
- PENSION
- PLEDGE
- PRIZE
- PROFIT
- PURCHASE
- RAISE
- RECEIPTS
- REFUNDS
- RESOURCES
- RETURNS
- REWARD
- SAVINGS
- TAXES
- TERM
- TRUST

```
F K N U C K L E V H H A P B A C K L P F
F O X T N I M K L A B T O K A T O U P L
S U O D E S T E F N V G B H C G U M S C
K D H T S R O O W D X T U R E A H M C E
I A S O O F M L C Q B M R K C E L C M F
N E G W N L K L E R M Q N U X F L F J Y
U H C D I R P O T K U Q Y W C W E D P H
S U B A A Y F A E B H K O K O Y U W E P
H L N E K K I P L T T B D R R W R A O L
O H I J K N N Z U M L I B B T N T B T F
U V T H I G H Y P E T E E S M E O D J E
L W T O N G U E H U Y N L Y C N O O Q D
D K I O F S R Y A E C E M A E B T M Z U
E C S I E O C H I N C T F H O L H E G K
R X H E Z J R Q R D H F R K Q R A N Y C
W H N U J Q J E B H E H D U M U F S L E
A K P H E X P T H D S N A C N X R G H N
I C C W U B E O K E T U X M C K M F P O
S A V A E Y E S P C A F M S Y R Q F Z T
T C Q Z F T W Z U A O D F V A M R X S H
```

BODY BUILDER

- ABDOMEN
- ARM
- BACK
- CALF
- CHEST
- CHIN
- EAR
- ELBOW
- EYEBROW
- EYELASH
- EYES
- FACE
- FOOT
- FOREHEAD
- GUMS
- HAIR
- HAND
- HEAD
- HEEL
- KNEE
- KNUCKLE
- NAIL
- NECK
- NOSE
- PALM
- SHOULDER
- SKIN
- SOLE
- THIGH
- THUMB
- TOE
- TONGUE
- TOOTH
- TRUNK
- TUMMY
- WAIST

```
Z W C S B E D W G N B H C M K H T R L N
L F T Z R U L J Z C Q L F D M Z E H A O
Z B U Z X W C R A C R Z O N I L N U Y E
W H I P T L A C N C F E S C K T R Y O L
M Y S Q A T P A A X K P W C K G D T R L
T E A D O E A D E N S B U E A A U R T A
C L N R B K I A B E E B O Q V P D N R G
D L D Q G S Y M I D H E V O R X T E O M
T A P K N U D R R S F G R I T S L A P L
A G L E O M O A A M O S A I L S X T I G
N O V X L X A W C R O C T O S N J M W N
K F E T S T S U G D V A Z L O O L X Z Q
A L L N E R B S C A Q N Z B F O G S P X
R C C T D E O H H M Z N B Q V L A M A E
D C J M L A O S P A R O Z J D B L O L T
V Q P N O S T T Q E S N S J L U L R I A
G O K A G U Y V R M V T D R U O O G F R
A M G E J R J P E A F S T W X D W A M I
O U G Y X E N M I C U T L A S S N N P
I R A A E T D V N J V T N F D D K E J D
```

SWASHBUCKLER

- ARMADA
- BLOCKADE
- BOOTY
- BUCCANEER
- CANNON
- CAPTAIN
- CARIBEAN
- CREW
- CUTLASS
- DOUBLOON
- GALLEON
- GALLEY
- GALLOWS
- GOLD
- GROG
- JACKBOOTS
- LONGBOAT
- MORGAN
- MUSKET
- PIRATE
- PORT ROYAL
- RUM
- SAIL
- SAND
- SPAR
- SWASHBUCKLER
- TANKARD
- TREASURE
- WHIP

```
F B R B K O S P U I S O L A T E D L F Y
A E Z K B L E G C W D E S O L A T E Z Z
T P N V K N C O V T K A V B B F T Q R A
F B H X Y R R B B X M T D I T R F F T E
O Y E I S O E U S N H A Y R A T I L O S
R P R M R L T P H W S E R P R I V A T E
S N M I J R N K S A G R A D M M I J Z R
A L I S S O R X E R L T V E W T N Q E M
K U T F Y F M V C D G E E T N U N T S W
E I X D U K M E L H E R J A X W I E B P
N T M O K P G Y U T F N S C T R P L R F
G Y K T N T X Q S I B V O H E A U W F F
G B O E E E D X I W P T Q D R C E G O J
D M B W S X E T O C E S M A N X L J R O
N E J K U K S S N P L Y T U E A I O G O
Z R T G L A E W H S C E T P V L B V O T
N I R Z C S R G M U W S P W H F O A T H
D L O C E F T Z Q U T T O P L H W S T M
E O O X R E E K T X Y A B P X T V K E Q
L G X Q O D D Q F X E Y V J M R V Q N F
```

ALL ALONE

- ABANDONED
- APART
- COLD
- DESERTED
- DETACH
- FORGOTTEN
- FORLORN
- FORSAKEN
- HERMIT
- ONE
- RECLUSE
- RETIRE
- RETREAT
- SECLUSION
- SECRET
- SEPARATE
- SHUT
- SOLE
- SOLITARY
- STAY
- WITHDRAWN

```
M  A  I  N  T  N  O  S  U  N  S  H  I  N  E  N  F  H  V  Y
Q  N  M  P  S  B  U  Z  N  W  D  I  A  R  R  B  M  O  O  T
E  T  I  T  A  E  B  U  G  T  W  S  H  C  A  D  A  Q  R  N
F  K  P  E  A  E  M  F  O  T  R  A  P  R  E  H  T  O  N  A
J  C  W  T  B  E  N  N  K  W  F  C  Y  R  Q  N  L  V  H  R
O  D  S  I  K  W  G  K  Z  H  A  Q  U  G  B  J  G  K  L  D
Y  W  H  H  Z  D  N  A  E  J  E  I  L  L  I  B  Y  Y  V  P
L  G  E  W  K  S  Y  Z  B  A  D  W  I  V  C  T  V  J  U  M
E  A  S  R  N  G  O  T  T  O  B  E  T  H  E  R  E  N  H  Y
Z  K  O  O  W  W  K  Z  U  U  O  Y  H  T  I  W  K  C  O  R
I  U  U  K  M  A  N  I  N  T  H  E  M  I  R  R  O  R  J  T
B  T  T  C  L  Z  S  I  I  D  I  R  T  Y  D  I  A  N  A  O
K  B  O  A  J  U  N  I  B  O  R  N  I  K  C  O  R  V  W  Y
W  J  F  L  E  F  I  L  R  U  O  Y  N  I  Y  A  D  E  N  O
M  D  M  B  I  M  N  H  E  A  L  T  H  E  W  O  R  L  D  E
I  Y  Y  M  E  O  F  F  T  H  E  W  A  L  L  C  G  Z  M  Z
A  G  L  A  L  A  Z  L  E  A  V  E  M  E  A  L  O  N  E  T
I  N  I  J  E  J  X  Y  F  D  N  E  I  R  F  L  R  I  G  U
X  B  F  E  J  F  M  W  T  Q  E  S  A  Y  S  A  Y  S  A  Y
R  V  E  H  X  U  T  G  E  T  I  T  X  V  A  I  V  Z  C  D
```

ENTITLED

- AIN'T NO SUNSHINE
- ANOTHER PART OF ME
- BAD
- BEAT IT
- BEN
- BILLIE JEAN
- BLACK OR WHITE
- DIRTY DIANA
- GET IT
- GIRLFRIEND
- GOT TO BE THERE
- HEAL THE WORLD
- JAM
- LEAVE ME ALONE
- MAN IN THE MIRROR
- OFF THE WALL
- ONE DAY IN YOUR LIFE
- ROCKIN' ROBIN
- ROCK WITH YOU
- SAY SAY SAY
- SHE'S OUT OF MY LIFE

```
D I W Q Z J V D A R I N G G D N I C H Y
W E A G Y F G Y W S R M P R V P O C A X
I T F A K M S F S P J W S I S R W H G A
L N Y Y N Y S Y U I W D B T U Z S E H P
D A S O W E E P N R U H E T Z H K E S Q
G I S K I Y W G O I O S Y Y H F C R W D
G L E X T V O H I T Y A R O H E R V W G
A A N D S I R B L V M D A V F V R T P N
M V D L H R P J W Y S U S F E G T O K J
E Q L O A T O G J V F X H C X N D T I Z
B D O B R U L A D Z M A N L Y X T A G C
V U B R D E R P E W I B E S H T N U R M
A G L A Y W J L E W K P S F E G E V R E
D J S L W J W U D H K W S C F Q L R W E
N A X L Y T F C H Q T T R R Z Q T A V B
Q B H Y L F I K R E B E A F B J T K X O
B P H E R O L G O P I I U X E Z E N Q Q
M B R A V E R Y E F H R I S K A M R I I
H K Q T P H Y Q I R A A S X O T T N A I
D I C A I P Q Y C Y Q L H X V X R K F Q
```

BE BRAVE

- BOLD
- BOLDNESS
- BRAVERY
- BULLY
- CHEER
- DARE
- DARING
- DASH
- DEED
- DEFY
- FEAT
- FIERCE
- GAME
- GRITTY
- HARDY
- HERO
- HEROIC
- LION
- MANLY
- METTLE
- PLUCK
- PROWESS
- RALLY
- RASHNESS
- RISK
- SPIRIT
- TIGER
- VALIANT
- VENTURE
- VIRTUE
- WILD

```
C A S E S P B T G H S K E W F E S L X P
Q A F C E L L O Y R P F A S T C P T E S
R H J O E G K T R A I U L G C W F L D Y
B O P R R N N G D O T V B F Y R I Z O Q
I H I A E C N O K H F K F B Q R L E C N
C D P D S L E U C G B G I E U X M I A V
Z A M I A H I M W V X D N C B F I F S A
J F D M U R V F H X C J G I D W I G L W
C L W E O E M I T U E B E L Q A Y E U B
H Z R N U H J Z K W U G R O D R I S L N
V I E E F T G B V S Y K P P M C P L D D
F P D K O X E R X Z Y G R Z J A D T P H
O L X U R G C N N F E J I F R S C T S F
F W I P G T N G R R M F N T Y R L O B F
E I Q C E C X A E Q K J T Z Q A L T I R
Y F Z N R Z U N U Q Z A O L O C Q R T Z
I V B F Y D A S Q J S G V F E N C E L P
M K U M X T Z S K Z S Z K H P B A O J V
Q P V I F F A L L O R T A P A M B N W V
Z U P Y N Z X F Z I M D L O H O K N D T
```

CRIMEWATCH

- CARS
- CASES
- CELL
- CODE
- FAST
- FENCE
- FIELD
- FILE
- FILM
- FINGERPRINT
- FIRE
- FORCE
- FORGERY
- FRAUD
- HOLD
- OPEN
- PATROL
- POLICE
- RADIO
- TIME
- TIPS
- TRAPS

```
J C Z X T R E V O C E E U Q A P O C S Z
D B L T N I U Q S D E I Q T H L N F A K
Q I H X P Z X N E L W N N I A W B L U R
Z R M F C R C V A D G I D T W F V I I D
W Y U R E L A P C U A D B U R E M O T E
O C Z J O S B O C F E X X F X H K Y U K
D P A U I M N O H N D E O S A A E Z Y W
A I D V H F N Z G B Q G S Z K E L W S F
H Y E R U C S B O Y S P Y U L Z D P M X
S Z K S E D E N G I E F C T R R D K A E
R W E A H T V O M I V O B N E T A D L L
U E L J V A E V U A V U S O Z Q S I G U
F A D E D N U O Q E S F O G G Y V B V F
A N V L E G G F R M W K B D N I L B A T
K U S Q C L A N D H Q K R A D X M A T B
N H U L V E V T C B C R Y P T I C I S U
A X M U D D Y B A N N E D S H A D Y I O
L G T U L D E L L E V E B D E L I E V D
B Z H H B B Z R E N V M E S Y E M F Z X
B S Z Y T S I M D C I T S Y M A S B J Y
```

TAKE A LOOK

- ABSTRUSE
- ADDLE
- BANNED
- BEVELLED
- BLANK
- BLIND
- BLUR
- CLOUDY

- CONCEAL
- CONFUSE
- COVER
- COVERT
- CRYPTIC
- DARK
- DIM
- DOUBTFUL

- EVASIVE
- FADED
- FAINT
- FEIGNED
- FOG
- FOGGY
- HAZY
- HIDDEN

- MASK
- MISTY
- MUDDY
- MYSTIC
- OBSCURE
- OPAQUE
- PALE
- REMOTE

- SHADOW
- SHADY
- SQUINT
- SUBTLE
- TANGLE
- VAGUE
- VEILED
- VILE

```
N A G R O X L J V V N L Y S H A Y G L F
K D X V S B U M D L O H E B B I Z O Y E
N I R S J H F Y G Q N O I S U L L I U L
I C M E V R E S B O D F B W N C V U O B
L A I X L W Y Q M I R V I G P E E P T I
B Q R X L A E E K D G A V F J Z L K V S
Y N A G L A N C E Q T T R O T S I D B I
T H G I S W E K R R M S A I P O Y M N V
H Z E W H Z A R U G E I F N V D Z V T I
K C D I Q N N L O A C V E B W Y A N J P
T K T G L O L X G P U T A R W R I S P R
O E W Y I F O R A E B E A F A U K U N J
G Q P S P M O G Z B N N P H Q T P N X N
L I I G O C K C E R I O R S J I S N I O
E V E O I G L S O T C V C Z L D S X I W
J Y R O N W C C E U H I E V I E W M U L
N B S K T A S R L K T E L B U O D X B R
S A I D N J K A Q P I M A G E X P X J L
W M R D T V R N O R E P O C S I R E P J
K Z I O W U Z J E S U G A N D E R C T M
```

EYES DOWN

- BEHOLD
- BLINK
- CORNEA
- DISTORT
- DOUBLE
- EYEFUL
- GANDER
- GAPE
- GAZE
- GLANCE
- ILLUSION
- IMAGE
- IRIS
- LOOK
- MIRAGE
- MYOPIA
- NAKED
- OBSERVE
- OCULAR
- OGLE
- OPTICS
- ORBS
- ORGAN
- PEEP
- PERISCOPE
- POINT
- PORE
- PUPIL
- RETINA
- SCAN
- SIGHT
- SQUINT
- STARE
- VIEW
- VISIBLE
- VISION
- VISTA
- WHITE
- WINK

```
Z E H K S A G V Z J B L P C O M E D Y S
C B G Y S F Z R O G A U E G I H Q Q G V
R O T N V O X K C E N J E S T E R Z T C
A F R N T H E T E N E Z A Z Z S F T X L
C E B U S C L W L I Y Y T L W O K A Y Q
G O N F R I N L G L H L U H L O N T D H
U W H A V V O S G H G L O N A C R A K M
C P C N V R S B I C G E L K G A L O O F
B K A M D I P O G N U B V D E W H O R J
G A G K L Z E G G U F E Z H C N N D W N
Y P Q B N D O A F P F M L O O T Q P F N
F R A O R D B D J A A I B B K T A O A H
R E T N A B O R G C W V G B I F I Y Z V
Z N Y M C N F I R S C U L Y G S L M H G
V E E L G J Q B I P L K F P K L I R T S
M V Y V V T V I N L S H K F O O F R N D
H Y H E E H A W B O L J U J H A O S L W
H I L A R I T Y C Q L T J D R G E R B C
M A T T E R P A R O D Y Z C P I U Q B V
R E E J X I N F T Y O J E T H O R S E S
```

HOW FUNNY

- BANTER
- BELLY
- BIRD
- BLISS
- BROOK
- CLOWN
- COMEDY
- CRACK
- DROLL
- FARCE
- FOOL
- FUNNY
- GAG
- GAS
- GIGGLE
- GLEE
- GRIN
- GUFFAW
- GULL
- HEARTY
- HEE-HAW
- HILARITY
- HORSE
- HYENA
- JEER
- JESTER
- JOKE
- JOLLY
- JOY
- LOUT
- MATTER
- OAF
- OWL
- PARODY
- PUNCHLINE
- QUIP
- RISIBLE
- ROAR

T U R N A B O U T S V C F H F T H S C K
C E A C T D T U N B I E F K U Y E J W Y
G C N N T V F O Y M U V O S U M U O F O
U N I H Y B C L C K E R T V X I A G U H
L U H H U A D M Z P L E S B M J T H V O
W O M M K I U E S H B W A L A S H O U T
A B U W U S Z A F O M S L X O P R V W Z
R N S P J W C N P M E D B H B V X I R R
C R H M I V C D U E R Q E S N U C M I P
U U M U G J J E I K T P L U U Y A D C V
K T Z T G S S R C A K U T P D I F L O W
A R R E L G H K Z H N L S N G E T Q C Q
E E E O E S T I C S I L U I E K F N H M
N V V S C N E N F H L E B P X Q N C E E
S O A F U G I P O T B J K S O C C R T L
Q L W H N G N X S H U F F L E W G E B D
P X S A R U E Q C J D P B G W G D E N I
U J H D R I S N X V D I V E R T Q P O S
G C X L C D M S B E W R G G V V I C S O
F T U M B L E F J O J S H X P C N E J L

IT'S YOUR MOVE

- BLAST-OFF
- BLINK
- BOUNCE
- BUSTLE
- CHANGE
- CRAWL
- CREEP
- DIVERT
- FLOW
- INCH
- JIGGLE
- JOG
- LASH OUT
- MEANDER
- MUSH
- NUDGE
- OVERTURN
- PULL
- PUSH
- RICOCHET
- RUN
- SHAKE
- SHIFT
- SHUFFLE
- SHUNT
- SIDLE
- SNEAK
- SPIN
- SWERVE
- TREMBLE
- TUMBLE
- TURN-ABOUT
- WAVER

```
G Y M Q V V I A D U C T S J V Q D T D V
V L F W S X E T G X H V H B R I D G E S
D A J B C T B B R L I I C K U Y F N H B
D R L V G G E Q L U C O A Q J R I V E R
N U L L X E E E B S S O O F D T O W E R
O T P O G P X O L Z U S R S N F F V G J
O A G A B P N A S B Q P P L A K E H S Z
T N S D P T E B X Q S C P U I M P I E R
N J J C G O Y U J S Y L A O A P D E G O
O W O A E O N T X D T B Q R R F R R X P
P X R U X F Q M N V H R F N E T A O Q E
Y W Z S P I C E Y R C B U J G G O Q D U
E B B E A M S N Y F R R E C W P B C N F
P J T W N S T T R X A K S N T T T I E D
G K A A S R W I O A N C H O R U S X S Z
E U I Y I E C Y A N D X S S U B R P T K
D D A Q O D T M D J N K T S F E E E F F
A M X R N R Y E W X D N Z I C A C Z I T
X A I H D I E M A X Y Z H A L J B Q L N
F W O S U G N W Y R Q K Q C S K T S E Q
```

BRIDGE WORK

- ABUTMENT
- ANCHOR
- APPROACH
- ARCH
- BEAMS
- BOARD
- BRIDGE
- CAISSON
- CAUSEWAY
- EXPANSION
- FOOT
- FRAME
- GIRDERS
- GUARD
- LAKE
- LIFT
- LOAD
- NATURAL
- PIER
- PONTOON
- RIVER
- ROADWAY
- ROPE
- STEEL
- STRUCTURE
- SUPPORT
- TIED
- TOWER
- TRUSS
- VIADUCT

```
Y W E E D J I M I A Y A N S N E M H S A
N W M C Q E T D B L O C K V F S J X M T
W I X I Z R C G M Z S T R E N G T H H L
A U P T E N U P Y Q S P E E D U R A Q I
N D O C Z S R S O G V X Q S J J O R L G
O D S A J N T H A W J U M J P O Q W S L
E R I R N H S O R E E Y A S L B A K E I
V I T P V I B O Y N R R H Y A C J E M O
I B I Q S B O T R B V A D A Y L K N A U
E B O H Y B P A S S Z N C L Z A V D G A
C L N W I N D A F B J I V E N H J U F O
E E L O D B H S F O S M J R A W U R L Q
R B J R B M N R C L I A P S K C N A B Y
B I H G X R T E A M S T O S I V B N U C
G D N M U H J G S A I S I C C R J C P J
L X I T B O L P D N M M N U K T J E N P
L I S V R V E O Y E K R T T R A P E S T
W C J G E O G T B A L L S I T I M E C S
L Q F X K Y H S Y O S G G P E R I O D K
B L I G V Z C O R N E R R U L E S L O T
```

MATCH OF THE DAY

- BALL
- BLOCK
- CORNER
- DIVE
- DRIBBLE
- ENDURANCE
- GAMES
- KICK
- LOBS
- OBSTRUCT
- PASS
- PERIOD
- PLAY
- POINTS
- POSITION
- POWER
- PRACTICE
- RECEIVE
- RELAY
- RULES
- SHOOT
- SPEED
- STALL
- STAMINA
- STOP
- STRENGTH
- TEAMS
- TIME
- TRAP
- TURNS
- WIND

```
F F P W E M B L E Y D M A T C H X S A K
R R A R K A S T M T L V Q Q V B N V K R
E E S F P X A N R C X R H B O A I C Z R
E G S M Z K G M D T O U C H C R W I U I
K A H G U N I T E D D W E N R E O N J D
I N C O L K C O R N E R R C O M R N O U
C A A A V Q J V S I M F I X S I H L V A
K M O L D D V M G R Q P S E S T T O U F
Z A C S F Y Q K P T X I I M T F E F O T
J N S U O X N M G A S T N I R L O F Y A
O C D K U Z G A M E H C G T I A N S U C
E H T E L U M B A L L H I L H H J I O K
R E F L L S J N I U C C N L S R G D Q L
O S A T A K B N Y N U E G U Z F E E J E
Y T N S B X J T L F W Q V F G E R K B D
L E S I T U Q V A I E D E E R Y F G Q M
E R X H O A O L N E N Z B E R F Y H O W
R H S W O I O J I L S E F P N T M F J Q
I O P O F V F B F D S E G P D F O R J E
Z X A Q F T Y T D R R I R E O B V N W P
```

CUP MATCH

- BALL
- COACH
- CORNER
- CROSS
- EVERTON
- FINAL
- FANS

- FIELD
- FOOTBALL
- FOUL
- FREE KICK
- FULL TIME
- GAME
- GOALS

- HALF TIME
- JOE ROYLE
- LINE
- MANAGER
- MANCHESTER
- MATCH
- OFFSIDE

- PASS
- PITCH
- REFEREE
- SHIRT
- SINGING
- TACKLE
- THROW IN

- TOUCH
- UNITED
- WEMBLEY
- WHISTLE

```
S V B A R G E E A V D J Z R A F T X M H
W N H J H K M T S T I L C E G R C C R Z
N R R G U C G T X V B E Y A Q F H E P C
T E W P Z N H E R E H V S Q T A N L Z E
K P S A R H K V E A H A V Q V O D M W X
A P Y C C T U R K S G R S V O S U I A A
Y I A K C O G O N L A A Y H D U G V D C
A L W E Z K R C A A R C C U Q L O G P P
K C L T Z G W A T B R S U X R G U T P A
O H V H Q W H P C E U A C M K D T F K R
R O A B Z G R O T L C G A Y L A V D E H
E P S H D A D T K Q E R E Z S G K S A C
N V Q D A B U S A C R H U U G R I E N O
I S S N N C L U G G E R Q V A U T V C L
L O T U G C G O F Q F F S B R A W I L L
N S U B M A R I N E F E A C G C H J E I
A D O U T R I G G E R B B I F G A T M E
E B B A T T L E S H I P R A A T L T O R
C H O J J D M P S R G F X X P I E C T L
O M X O O D P R I V A T E E R V R H P W
```

SHIPPING OUT

- BALSA
- BARGE
- BARK
- BASQUE
- BATTLESHIP
- CARAVEL
- CAT
- CLIPPER
- COG
- COLLIER
- CORACLE
- CORVETTE
- CRUISER
- CURRAGH
- CUTTER
- DUGOUT
- FRIGATE
- JUNK
- KAYAK
- LUGGER
- OCEAN-LINER
- OUTRIGGER
- PACKET
- PRIVATEER
- RAFT
- RAM
- SCHOONER
- SUBMARINE
- TANKER
- TUG
- WHALER
- YAWL

```
M O T N W O R F Z Y E C B X A N P K F B
H O R L U D D R M G G U X H Z B O N L U
G G L A R E G P O W N I B G E L U B I A
K A E C H F P S P G I N S I C R T H N W
G X Z H B A L S E K R I T S A E H C C G
Q H H E D B O S C N C R A Y P D W U H U
C O W E R K Y V N I U G R C B D X O C H
M U N S H A K E A L J B E L E U R L D M
C W T J M B Q Q L B R C E J N H B S A D
L E Z Z G B X I G J K E D X D S T F B T
I L V I U O E S T O O P W O X R P L N U
H S S A Q T T G U R H S U O E S U T S R
L U R T W D E S B X S A U C L S I F W T
L C T Q R C N R H M T G F O H G Y X A S
F S R Z A U W J I T Y R N I E K B H G L
Z H G M G B Q L M N T A E E C N I W G F
D K I G X L E R C Z P A W M S F H R E E
E R L B F I D G E T Y M F N B T J O R N
G E U P O O R D N U B P L N C L L F T G
P Q R G S L W O C S R W S W E K E E B I
```

BODY TALK

- BEND
- BLINK
- BLUSH
- COWER
- CRINGE
- DROOP
- FIDGET

- FLINCH
- FROWN
- GAZE
- GLANCE
- GLARE
- GLOWER
- GRIMACE

- GRIN
- MOPE
- NESTLE
- PACE
- POUT
- SCOWL
- SHAKE

- SHRUG
- SHUDDER
- SIGH
- SLOUCH
- SMILE
- SNUGGLE
- STARE

- STOOP
- STRUT
- SWAGGER
- TREMBLE
- WAVE
- WINCE
- YAWN

```
I X P A S S E D A W A Y D A F J A L N H
O Q I F W T H E D U N E R A B O Y S O V
Z H T H E R A G G E D Y R A W N E Y T B
L L I Z A R B U M Q E T D E U Z G C H W
K C C I N S E R T S U D N H K B Y T E G
U L L A W E H T D Y O L F K N I P H C C
T O A S I L A N O M E F I R H V N K O Z
S E Y Y R E T I S S A L G O V I J X T C
T H E H O N O R A R Y C O N S U L M T K
K X M I Q T C X V W M K A B V R X J O B
G N I Y D E H T R O F R E Y A R P A N X
B G W A N R I W M E R M A I D S O L C J
Z V G L E L C R I C R E N N I E H T L E
Y A D I R F D O O G G N O L E H T W U E
G U A D H B E D T C M U Z O B V O O B M
X L B J V B F B M J Y R Q T S T B T X E
H E A R T C O N D I T I O N M Z Q H Z E
J V T Y I Q J J Z F K E H X N F P D Z I
W A B U E O U V S W E E T L I B E R T Y
S R E H T O R B O I R A M R E P U S W U
```

STAR TURN

- A PRAYER FOR
  THE DYING
- BRAZIL
- HEART CONDITION
- HOOK
- INSERTS
- LASSITER

- MERMAIDS
- MONA LISA
- PASSED AWAY
- PINK FLOYD THE WALL
- SUPER MARIO BROTHERS
- SWEET LIBERTY
- THE COTTON CLUB

- THE DUNERA BOYS
- THE HONORARY CONSUL
- THE INNER CIRCLE
- THE LONG GOOD FRIDAY
- THE RAGGEDY RAWNEY

```
R F G I W K L T E N G A L L O N P O G J
T G U T E R E B R E L F F U M I B L V D
L N N A U T E N N O B P I H N B A A I G
E I H C Q H Q P Z C A C Q C Y B B H S T
F R E T J O A O W C C U E A F S U H O L
K N L V Q X Q T L U C N R U K R S D R S
F T M J I K J L L R E A R M Z J H N S R
E C E X H B U Z O Z I Z B R G N K B U E
D J T S R K A W Z T E N O H P N A C R P
O R Q U S K N N A F E A T H E R S E D A
R E U J H E A D D R E S S O H E T O I P
A N Y V B B F B E A N I E S A T H R I A
R I K R Y X E T S C O M B R E G C E M J
G L Z D M X I C P G I Q M R E K T R C Z
Z K O I X F H H J Y X U R R R Z A B O C
R O M A S K C A M Z F A K F T G P M X O
H M W N B K R P M F B H S C I S V O B R
F K R P K T E E S O H L N W M N E S I N
P O N T M C K A G P O M P O M I D Q V L
H J X E E Z V U H A I R P I E C E K J L
```

HEADLINES

- BABUSHKA
- BAND
- BARRETTE
- BEANIE
- BERET
- BONNET
- CHAPEAU
- COMB
- CROWN
- CURL
- EAR MUFFS
- FEATHERS
- FEDORA
- FELT
- FUR
- HAIRPIECE
- HALO
- HAT
- HEAD-DRESS
- HELMET
- HOOD
- HORN
- KERCHIEF
- LINER
- MASK
- MITRE
- MUFFLER
- PAPER
- PATCH
- PHONE
- PINCE-NEZ
- POMPOM
- RING
- SKULLCAP
- SOMBRERO
- TEN-GALLON
- TIARA
- TOP
- VISOR
- WIG

```
B D Q C N G I S T B R I N G U E M I T L
R P P L S B Y G C S C S W I T C H Y P X
O N J V N T X W Q B A J C X B J F S C V
A H A N G J A E O I Y L E T P O U L A F
D T S P S M L G R R S V B I K H E T R T
W E T X R A D P E I K K C O F A M Y R H
A G I H J R A N T R F K P S D N P Z Y G
Y R M A L C D U A H Z Y Z P R L O I M I
V A I P F H H S H T R L E A V E R U R A
D T L V Z Q O U H W S O E Z U Z D P I R
N M O O W Y L S T I O Y W M Q I N I G T
Y E A R A T D U W N U L P L O S Z I H S
T F U M R P C T O C J T B S B C S C T E
A R F R D N G D N U O S U F H H E E M Y
O K P O W Y A W K X K A E R B O S K R P
U S F G S E R N A C Z M Z O N G W U A P
B Y H D H D C I V S O U W T B Z I A P T
N B R U S H N S Q J H N Q U N P A S S Z
L F E R X S Q A J R F Q K P T D Y X G G
S A C A L L C U H A L U N D K H C T A W
```

ON AND OFF

- BLAST
- BLOW
- BREAK
- BRING
- BROAD-
  WAY
- BRUSH
- CALL

- CARRY
- COME
- CUT
- DROP
- FIRE
- HANDS-
  OFF
- HANG

- HEAD-ON
- HOLD
- KNOCK
- LEAD
- LEAVE
- LIMITS
- MARCH
- PASS

- PICK
- PRESS
- PUSH
- PUT
- RIGHT
- SHOW
- SIGN
- SOUND

- STAGE
- STAND
- STRAIGHT
- SWITCH
- TAKE
- TARGET
- THROW
- TIME

- TURN
- WARD
- WASH
- WATCH
- WORK
- YEAR

```
U Z F F Q R V L C B S E Y N Y U T U J Z
V C B Y R J X T Q Y L L W S L R C Y C T
T N V M S Y E L L U Z A Q O E T K Y S G
B T F S D C B L U B X Q S Z T I S S K M
R I F L E M Y E I Y Q C Z T Y C O U G H
G Q R R P K Y Q L Y D U D I H G U B H R
S R B A K T S L X L B F J F E N E R I S
A N H C G Y E U Y O E A W E I Z N P G H
Q N E R E M M A H Z I O B Z T I L Q O U
V S U E D V I D B C P A K R A B Q T X V
B X I Q Z D H P R H Q G P P E P I N A Y
B V U T P E C Y P U R B N E S R X P M Z
M V Q P C K X F A N M K B A P V Y E P U
C Z K P R T A N N I R M O M B K N G K Z
R T K L I O A O B Z O Y H Z E A L M S O
A H Q E C B P N O B Q I O L L E O B R G
S T D G K Q Z N O Q S Y T P B T I H Z D
H H Y N E K G A K C V T R R O R S Z T I
O J R O T C O C I J A I H R D L A H A Q
A Z S G N I A R T R A H Z S V S E E B O
```

WHAT A RACKET

- AIRPLANE
- BABY
- BANG
- BARK
- BEES
- BELL
- BIRDS
- BLAST
- BOMB
- BUZZER
- CANNON
- CHIMES
- COUGH
- CRASH
- CRICKET
- DRUM
- GONG
- HAMMER
- MOTOR
- RATTLE
- RIFLE
- SIREN
- SNEEZE
- TRAIN
- YELL

```
V E V M L T F Y F G M Y W E M S P J N Z
O A G R Y K P Q H J I K L T E B R A B W
G G U U R Q V J M Q V X A J B W O I I N
N L Y O S B X H H O F W N F N G O X C I
I E T S W E B G U X D I B L U E J A Y
L S D Y R Z S H I G F B D H C I P R L O
R M X E C S L A V U S P R Y N U V T A S
A Z N X Q Z Q Y I W D J A E R G S U R X
T G G V I Z N O E G I P C G E I U B K B
S K A W G T N O F N T R E E T Q F F G D
N D O G W I M I R O E C K V I F D H M M
T C N W O M O L B E T N H Z Y Y F E E F
O I R I L P N R B O K C E T M X C L R A
R K E N N S R C D A R C G N T N O N S M
R S W R B N A E Q B R S E D L I E A O W
A B Y A P L E S R L Y F E P R M S X Y L
P T P M H R Q C I H U L T O D Z M H V N
T E R G E F W D E S O O G R P O U C N A
H Z S F Y D Y N P F D S O L M A O E M M
L I A R E D I T Y L H Y T H R Y F W V X
```

BIRD WATCH

- BARBET
- BLUEJAY
- CARDINAL
- EAGLE
- EGRET
- GOOSE
- LARK
- NENE
- ORIOLE
- OWLS
- PARROT
- PIGEON
- REED
- ROBIN
- SMEW
- STARLING
- STORK
- TERN
- TREE
- WOODPECKER
- WREN

```
B T N E G A S W E N D O O R G B U U X F
E Q E C A R T I C L E S M A C U J L U T
T G S M A G A Z I N E S T I C T B E H N
V L U T T N I R P R X E V C B S E D K E
D C O P O H S E R X A G K D C E N E Q M
M P H S H Y E B S E K A K A U T I L L E
C L A S S I F I E D S P O E B A L I C L
H A V Y X E R A Y B E U R R O L D V B P
L G B B C Q V E S C T O L L Y K A E S P
G E P L K O Z E W F U L T T L H E R S U
N L T S E D L Q N N I R U R S H H V V S
I J C T E D X O D I O L S C D L O F D V
N V P F E R I O U P N K L A W E R Y E N
R E P Y L R U T S R I G Y K P T B Z S J
O Q A H S F B T I M K H L L J C A V W A
M L T Z U L V O C O H O I L A E G V E S
S A U X N F A Z X I N N A U E L L V E O
P A U H D K L D I P P X D F S L X G K N
X R E P A P S W E N H S U P S O M S L A
A T W T Y M R R S O P E N Q E C W B Y Z
```

PAPER ROUND

- ARTICLES
- BAG
- BOY
- CLASSIFIEDS
- COLLECT
- COLOUR
- DAILY
- DELIVER
- DOOR
- EDITION
- EVENING
- FOLD
- FULL
- GATE
- HEADLINE
- HOUSE
- LAD
- LATEST
- LETTER-BOX
- MAGAZINE
- MORNING
- NEWSAGENT
- NEWSPAPER
- OPEN
- PAGES
- PATH
- PICTURES
- PRINT
- PUSH
- READ
- RESULTS
- ROUND
- SHOP
- SPORT
- SUNDAY
- SUPPLEMENT
- WALK
- WEEKLY

```
G U O I E H S I N R A V I M Y D P M E X
E V A W A P C M P T T J H C T A C A L X
I N L B E R U T S E G N R D R G A S B E
R F F G F H E O M B C V I G K H F S M L
E O A W I C L C O M F B E O C Y L A U G
D A S H N T K Y L E I Q L O P Z W G F N
I O T G G E C F C L T S B D S E F E N A
O U E A E K I K R B E E B C A R E S S T
R N N T R S T E H M H I I S Q K U P C N
B T E H Q S V C T U C Z R L D N X U R U
M I F E W O T F F R O E C I D I E R A M
E E U R C U F M Q C R U S C S T T X T H
K X D N L Y I T S X C X J E S Q Q M C N
L S U C K R Y A P P L A U D T O V N H E
P B Q V W H I T T L E N G Q I G I A N N
K R Y E Z E E U Q S Q P G K R P H E I G
L N Q L R I W T U Z D E T A R A P E S R
E I E K V S C U G Y C A R V E J H O F A
E V V A V B N R A D V J S T A H A K P V
P E S G D Y S J H D U N R A V E L F Z E
```

THAT'S HANDY

- APPLAUD
- CARESS
- CARVE
- CATCH
- CLUTCH
- CROCHET
- CRUMBLE
- DARN
- EMBROIDER
- ENGRAVE
- FASTEN
- FINGER
- FUMBLE
- GATHER
- GESTURE
- KNEAD
- KNIT
- MASSAGE
- PEEL
- PINCH
- POINT
- SCRATCH
- SCRIBBLE
- SEIZE
- SEPARATE
- SKETCH
- SLICE
- SQUEEZE
- STIR
- TICKLE
- TWIRL
- UNCOVER
- UNRAVEL
- UNTANGLE
- UNTIE
- VARNISH
- WAVE
- WHITTLE

71

```
E Z T G Y A L L S P I C E U J B K M U V
K R Z I C S A L T V V X Z S C W L A Z B
O K V N Y P G N I S E V I H C N N R K N
M M E G M V G O T A R R A G O N O O N O
S N M E O I R M S O Y S A U C E M J U N
R I A R K N A A I H M D C J D P E R T A
V M C Z G E G D L B Y A B Q H E L A M G
Z F E N I G U R T X V Y G B H P L M E E
N G P W D A S A E X P E T G M P I E G R
C S A P I R H C C L A L T N C E V O S O
V I J R L L Z T I Z P S G T I R R F T D
A B N E L Z E O R X R R A O F M E T F R
N S U N I I E N B W I A N N Y G H H I A
I R L A A V C Y N T K P I I R C C R W T
L Q J F I M Q D F E A X S O A W K R C S
L X J L J U O P C A F H E N M L B D E U
A S O I M D J N K X L B T C E L Y T L M
O D R K O J I E M Y H T Y S S S A G E D
N V Y R R U C U M I N D U H O F Y Z R N
K S E V O L C D W U A I W T R K I S Y E
```

ADDED FLAVOUR

- ALLSPICE
- ANISE
- BAY
- CELERY
- CHERVIL
- CHIVES
- CINNAMON
- CLOVES
- CUMIN
- CURRY
- DILL
- FENNEL
- GARLIC
- GINGER
- LEMON
- MACE
- MARJORAM
- MINT
- MUSTARD
- NUTMEG
- OLIVE OIL
- ONION
- OREGANO
- PAPRIKA
- PARSLEY
- PEPPER
- ROSEMARY
- RUE
- SAGE
- SALT
- SMOKE
- SOY SAUCE
- SUGAR
- TARRAGON
- THYME
- VANILLA
- VINEGAR

```
E D F E N V W A O U T P U T C H N S A M
D U F S N R C Z G L O B E Z C O Q W I N
N L A E E T G S G L A R E T E D J D T H
N A Y R G C L O U D E D I N M B O T T J
B M L I O W C C S J S W F F X O O R X Z
O P O W L W Q L K F S O E I L Y E G X F
W E O Y A B T T C O S J C F L V C Q V R
E B K D H K L N A E F R H K I A H H E Q
R U M E E K O E R E T E N D E G M M U E
C T M Z D T V R T T W K R I S T M E X X
S K G Z K N B R C D M C U H I I K G N T
O D E C K E P U N J A I B U D C O L L T
Y H P S T C E C O M W L E S O P Y O P Y
Q M O V A S T P S U A F B H P V Y W O D
G H S R W E R S I Q L F S D L P N V J A
A C T P Y R R N D O L E R J U H P Y S E
R L E N S O U C E F S X A I G M A T O E
D G V J J U E L E C T R I C K W T N E U
W F W M D L F U S E O A L R S A J G G Q
N Y L P D F I Y P W D T S D W Y C M J Z
```

WATTS ALL THIS

- BURN
- CLOUDED
- CURRENT
- DECK
- DIMMER
- DIVERT
- EDISON
- ELECTRIC
- FILAMENT
- FLICKER
- FLOOD
- FLUORESCENT
- FUSE
- GLARE
- GLOBE
- GLOW
- HALOGEN
- HANG
- KEEP
- LAMP
- LENS
- LOOK
- NEON
- OUTPUT
- PLUG
- POST
- RAILS
- SCREW
- SHOCK
- SOCKET
- SWITCH
- TRACKS
- TUBE
- VOLT
- WALLS
- WATTS
- WIRES

```
G  S  V  E  T  L  R  U  N  W  M  A  I  U  T  Z  P  A  Z  R
R  C  S  E  M  H  U  V  G  Z  E  E  M  Z  X  H  H  Z  M  P
I  O  H  R  S  X  R  S  L  J  R  U  G  B  Y  U  N  I  O  N
N  T  A  E  G  P  P  O  S  T  R  L  X  T  K  P  X  R  D  W
T  L  L  F  N  H  E  W  W  C  Y  A  V  A  O  S  A  L  Q  K
E  A  F  E  I  D  R  K  S  P  P  O  W  C  O  I  N  S  D  W
R  N  T  R  W  N  P  C  E  N  Q  G  L  K  K  D  I  W  S  D
N  D  I  U  X  A  E  I  L  T  E  U  L  L  I  E  R  T  N  M
A  N  M  R  I  L  N  K  A  C  D  F  T  E  Y  N  V  A  N  D
T  R  E  C  Q  E  A  U  W  Y  D  U  R  T  R  Y  L  K  K  O
I  T  R  S  H  R  L  I  Q  B  O  M  L  A  N  G  U  C  G  H
O  Q  O  N  Y  I  T  P  S  E  D  R  A  W  N  T  O  U  C  H
N  B  C  A  B  N  Y  F  N  T  X  T  B  E  D  C  I  O  D  Z
A  I  S  F  B  A  D  I  T  R  S  M  E  R  N  U  E  T  Z  E
L  P  P  F  V  T  L  M  P  E  R  I  H  A  S  P  M  H  O  I
N  I  O  I  D  B  A  L  P  V  E  R  H  M  M  S  C  M  E  Q
A  T  I  D  V  P  J  L  X  N  Y  S  W  D  K  T  F  S  Y  K
R  C  N  R  E  J  V  Z  K  O  A  W  I  L  A  I  O  D  D  X
R  H  T  A  M  L  V  N  B  C  L  M  N  M  U  L  U  O  F  K
P  B  S  C  A  Z  Z  T  D  J  P  D  U  N  N  P  L  N  J  B
```

RUGBY TRY

- BALL
- CARDIFF
- CONVERT
- DRAW
- DUMMY
- ENGLAND
- FANS
- FOUL
- FRANCE
- GOAL
- HALF TIME
- INTERNATIONAL
- IRELAND
- KICK
- LINE OUT
- LOSE
- MATCH
- PASS
- PENALTY
- PITCH
- PLAYERS
- POINTS
- POST
- REFEREE
- RUGBY UNION
- RUN
- SCORE
- SCOTLAND
- SCRUM
- SIDE
- TACKLE
- TALK
- TEAM
- THROW
- TOUCH
- TRY
- WALES
- WIN
- WINGS

```
F Q G V P M K U V C C G Q Q G P K Q Q V
U Z H T O O B F P E M M T Z R R O P H X
G O S V A D Q V D G F S C W I I H U Z Z
D U Y J J K V D E A K M U Z U S F K N J
L B K O S G U K H C J R Y E T S Z E S D
R C R O O S T N S D P L W T V A G N Z D
K T U K O N L Q W R Y Y R I S I N N J O
O I U X Z L N A O I P Z G H B G H E T V
W M Q W A T Q V C B G D N L R C I L Y E
H A X T Z I K I J X S D E V S R L P R C
Y S S T S O G A I K Z P Z H R N L I P O
K C A G E P P R L H O E Y S S Y V L B T
Q D T C V R U Y P A J N I V S T S E N E
T E S U O H D R I B I V W A R R E N S S
D K I D S X N I N V X R L N V H Y W Y U
E C E L B A T S P P A Y H V N R E I J O
N X E B A R N C I O M F A K T J Y O G H
J B B R A Y P C O O Q A V L N M P W W N
M A Z U N F V X Y C E W H U T C H N L E
F O M W O K M R Z H C R E P C R U N F H
```

ANIMAL HOUSE

- AVIARY
- BARN
- BIRDCAGE
- BIRDHOUSE
- BOOTH
- CAGE
- COOP
- COWSHED
- DEN
- DOVECOTE
- HENHOUSE
- HIVE
- HUTCH
- KENNEL
- LAIR
- NEST
- PEN
- PERCH
- PIGSTY
- POUND
- ROOST
- SHED
- STABLE
- STALL
- WARREN

```
O U Q N F I N J M D P O G O S T I C K D
U H V N C A M E R A N A R B E L T I I Z
M A K A R L P O W V B S R F Y F S U A O
E R C O N E Z A S G X F Q J J T A N D F
G M G R M A S K R P L I E R S F D I Y Z
A O O X R K P C E A P V L K X E D C B C
P N D H D S E L I Z C E J P E F L Y Z Y
H I C A P O C H P S I H S C K U E C Z T
O C Z X B O S T F T S O U V A D D L K Y
N A P O N A V V K I T O X T R Y W E E H
E B O O S E K C D J L J R C E H A R P O
Y C M F T B E Z S Y S E G S U D V K F E
T U Z A P N S Y H I G H C H A I R N P E
E C P B A T D G Z H Q J R W K P L U Q T
U I N P B L I B E R E T E R I G E S M T
Q L Y R L B A G P I P E L E O K J C Z E
C B O O K M R D T R L J U N A V Z M M R
A H Z C I L K R R O J C R C N B O B L R
R B I N O C U L A R S Y D H B A T O N A
L K V H O O P O D M Z L A D D E R N M B
```

SINGLE MINDED

- BAGPIPE
- BARRETTE
- BAT
- BATON
- BELT
- BERET
- BINOCULARS
- BOOK
- CAMERA
- CAP
- CONE
- DRUM
- FILE
- HARMONICA
- HARP
- HIGH-CHAIR
- HOE
- HOOP
- LADDER
- MASK
- MEGAPHONE
- MONOCLE
- NECKTIE
- OBOE
- PARACHUTE
- PLIERS
- POGO STICK
- RACQUET
- RAKE
- RAZOR
- RULER
- SADDLE
- SASH
- SCISSORS
- UNICYCLE
- WRENCH

```
A A W S F M C O N F O U N D N O E V K W
Y D A U N T G I X Q J B U P S Y R A Q B
A V T R V T R W E I R D R M A G I C M W
D S F E U D A L W I L L I V W E U C M G
R M T T W T O M L M D M T M I R A G E N
D L E O I W W D Q N U D R E K N Y D W I
E E G Y N S K S V X K O I Z T O F D D D
L H F D P I Q J C T F O C A K N L Q K N
B W E N I N S A L I E N K D G E A X H A
A R M I K M L H R I A F S N F M B L N T
K E A M L L A X W I T E S F T O B P O S
R V L H E N C G T K S T I E B N E C V T
A O F P K V U Q E U L K A E I E R S E U
M Y S P C H R V P M H D S L B H G K L O
E E D S G C I Y S V K R L E O P A V E X
R W A D H H O S N T R O S V X C S D Y K
A W Z A X A U H E N Y L T R F W T O R E
W Q Z E B I S O M U W L U A E H R P S F
E K L R X C H C O A E K N M Z C N C A Y
D Y E D Y Y X K D H V U N C A N N Y M V
```

IN A DAZE

- ALIEN
- ASTONISH
- AWED
- CONFOUND
- CURIOUS
- DAUNT
- DAZE
- DAZZLE
- DREADS
- DROLL
- FEAT
- FEEL
- FEUD
- FLABBERGAST
- FLAME
- HAUNT
- IMAGE
- MAGIC
- MARVEL
- MIND
- MIRAGE
- NOVEL
- OMENS
- OUTSTANDING
- OVERWHELM
- PHENOMENON
- REMARKABLE
- RISKS
- SHOCK
- SPELL
- STUN
- TRICKS
- UNCANNY
- WEIRD
- WILL

```
D D R O P S C H E A L T H I D L L E B B
Z B M V G A H X G Q Z I X D A Z S C Z B
X A R G J I E Q O Y Z T D C H G L R D G
T B T Y N U C V S D I K N T U L L E U C
I Y S Y C I K B C R J Y T E A P I C I N
C F E A W A U F E A C N H G M K P E U O
B E R H C F P A E K C I S C V T E P A I
L A E H E H D B L H V D Q C U U N T G T
Y V I E H U E C A X C E O D Z R F I I P
A I L V P H O Q M T I L H U R T E O O I
E T X E T A Z L E A D O C U B I J N A R
E S R A H Z I U F B E S C N Y I B I E C
Q D L B I M M N J L B P C W S U A S W S
N A Z U I L C P C E K O L E L K P T D E
R I P X P W M R W T H T E L I S T E N R
T L B V V U E E O S G S I L E P K W J P
L Y T X L K B S N A U E N I C I D E M M
L L E L A M Y V O T O L B R O T C O D C
N Q A K I W P B Y D C K L R E Z Z U B W
M S W A I T I N G R O O M I B B D X L O
```

DOCTOR'S ORDERS

- ACHE
- AILMENT
- BABY
- BELL
- BUZZER
- CHECK UP
- COLD
- COUGH
- CURE
- DAILY
- DOCTOR
- DOSE
- DROPS
- FEEL
- FEMALE
- HEAL
- HEALTH
- HURT
- ILL
- KIDS
- LISTEN
- LUMP
- MALE
- MEDICINE
- OINTMENT
- PAIN
- PILLS
- PRESCRIPTION
- PULSE
- READ
- RECEPTIONIST
- REST
- SICK
- SPOTS
- TABLETS
- TAKE
- UNWELL
- WAITING ROOM

```
M X A K C X I O L O C K S M I T H F I R
W L J K O A X C N X G J E E N S V L R G
N U G B E J K I Q G K A F I A I I J O A
W N B T Z K R N D O L A A C I M I H N R
L N T C H B E E X B C X E C C E B N M D
M S O T A U P M X S B F C X I H T D O E
Q S Y N B P A A U T G Z V I T C H C N N
U V S F E R R B W A D P V Z P E I C G C
L W H C R J D I P I D O R O O R B O E E
S I O S D U R N S L A S E I M H I B R N
N H P U A Q E G P O K T K K L Q C B I T
A S T P S Y C O H R Y O A Y H T U L J R
C H C E H K O H N R T F B F C O Z E X E
K O G R E Z R A R G E F S L H O B R A X
B E B M R E G L E L I I I O P B A L Y U
A S J A F T N L H R C C Y R N A R A Y N
R H S R N B E C C R O E Y I I R B E B Y
T O C K V K E X T N S E N S O P E L J Y
Q P D E Q P R Q U Q Q P E T I Q R H Z P
P Q U T R P G N B B U I L D I N G T L L
```

SHOP AROUND

- BAKER
- BANK
- BARBER
- BINGO HALL
- BUILDING
- SOCIETY
- BUTCHER

- CAFE
- CHEMIST
- CINEMA
- COBBLER
- DRAPER
- FLORIST
- GARDEN CENTRE

- GREENGROCER
- HABERDASHER
- IRONMONGER
- LOCKSMITH
- OPTICIAN
- POST OFFICE
- PUB

- SHOE SHOP
- SNACK BAR
- SUPERMARKET
- TAILOR
- TOYSHOP

```
X K M Y Q V K P A R K O K O F H S F X C
M C T E W T R Y C O R H W I L D W E S T
I A O L E B A Q T Q O X N C S Z U Q K G
C S U P P O P V S A C D D I S N E Y L C
K T R O O R E I F I R E W O R K S J S H
E L J E R O M S A M U S E M E N T Q M A
Y E K P U K E I K Z S N O W W H I T E R
M C R A E S H T I P P W S R I W L Y H A
O G S N H V T R C S R S T E M B L W O C
U P C I M A E O R T N S L N Z N P H T T
S K A H A T V S O E Q X U T S O P O E E
E R H G G L I E W E T E D E I I T R L R
R I L S I Z T R D R H K A R R T H S S S
R D X T C L S D S T E P B T A A R E G Y
C E E T A Q E B I S C A C A P C I S Q T
S S L O L J F A U U N T Z I L A L F R K
M C P C G N G W P M A U R N G V L K T O
L W M F F O T O P N R J J M U O S E F B
G I O I G R A N D U F P E J H U G E C Y
B I C J C H I L D R E N U X V Q C A F W
```

EURO DISNEY

- ACTS
- ADULTS
- AMUSEMENT
- CASTLE
- CHARACTERS
- CHILDREN
- COMPLEX
- CROWDS
- DISNEY
- ENTERTAIN
- EUROPE
- FESTIVE
- FIREWORKS
- FRANCE
- GRAND
- HORSES
- HOTELS
- HUGE
- MAGICAL
- MICKEY
  MOUSE
- PARIS
- PARK
- PEOPLE
- RESORT
- RIDES
- SNOW WHITE
- STREETS
- THEME PARK
- THRILLS
- TOUR
- VACATION
- VISIT
- WILD WEST

```
Y L L K T E E D Q G H C E E P S T B I Y
N V W O R D I S N O B Y L T G E T I R W
S T L D N J D T O B Y R N K O M U S I C
C C R E P O R T G R T R I G O R S Y G Y
I W U Z X D R E A D P Y L S G Y P G G R
M Y R O T S I H Y N I X D T E Z E O H A
O O R G E O L O G Y K S L U O E L L Y R
N U W L Y L O O H C S V I D G E L O G B
O T U O A Q T I E S T P U Y R S I I I I
C A T G M Z E L O D I Z B J A S N B E L
E P R I A Y A V Q Y E L E U P A G D N P
M E R C R D C B J N R S G U H Y O A E E
G S H Q D N H D D L Y T K N Y D R L R N
R M Q X E B E J E M R X E K E B N E X R
A X X X O V R S G Y T E R O E Z S C M A
D R A D I O I P R G E A M G P E E T L M
E M H O O Z A J E D M H L L A Z Q U K M
S L T U W P C R E Y O A A R L O L R J A
L I A Y E G B D G O E Y C L T S X E I R
H X M R R A R T K E G H C O L L E G E G
```

SUBJECT MATTER

- ALGEBRA
- ART
- BIOLOGY
- BUILD
- COLLEGE
- DEGREE
- DESK
- DRAMA
- ECONOM-
  ICS
- ENGLISH
- ESSAY
- EXAM
- GEOGRA-
  PHY
- GEOLOGY
- GEOMETRY
- GRADES
- GRAMMAR
- GYM
- HISTORY
- HYGIENE
- LECTURE
- LIBRARY
- LOGIC
- MARK
- MATH
- MUSIC
- PAPER
- PEN
- PLAY
- POETRY
- PROSE
- RADIO
- READ
- REPORT
- RESEARCH
- ROTE
- SCHOOL
- SPEECH
- SPELLING
- STUDY
- TAPES
- TEACHER
- TRIG
- WORD
- WRITE

```
T B B V S Q Q C V I N F R A R E D U E A
O S L H Z J B C Y A F Y Q D G E Y S E R
P T A C Z A G L O W P E T R I G N I T E
R L S O N A R S O N A O E F E G C E B F
Z A T O T R F C N W C V U B C M L O K L
B N I K A Y U M D W E R K R R G B C N A
F O N I N V R R R F G V I V N A Z E N S
J I G N U S N P A A S P N I D T N P R H
W T E G A U A B A N K R D J G U L D V E
N C C R S L C T A R G R L R Q J T D E E
K E I K Y T E D R L C E E P O A C H Z D
F V E K M R P A E K E H D F F N Y U K J
L N D T Q Y E F N F F F T H A W I N G L
K O T F C S K V D N R K I S T A R S L F
D C Y Q O I Q R L U E O I R S D J D I R
O C I N D E R E A R C A S L E G E I B I
A R D O U R S N C P O U L T N V S F A E
B Q K U W I M R S E A R Y S S S U I Q D
O X Y F R F R U I B L V Q Q N W F Z O M
F L A R E A T B K R S T R A D I A N T L
```

ALL AGLOW

- AFIRE
- AGLOW
- ANNEALS
- ARDOURS
- ARSON
- BALEFIRE
- BLASTING
- BRANDED
- BURNER
- CINDER
- COALS
- CONVEC-
  TIONAL
- COOKING
- DEFROSTS
- DE-ICE
- EMBER
- FEVER
- FIERY
- FLARE
- FLASH
- FRIED
- FURNACE
- FUSE
- GEYSER
- IGNITE
- INFRA-RED
- INGLE
- KILNS
- KINDLED
- PARCH
- POACH
- RADIANT
- RANGE
- SAUNA
- SCALD
- SEAR
- STARS
- SULTRY
- THAWING
- VAPOUR

L V H S C A L E N R S I E S U A L C Y S
L R C N W A R D E N H C N A R B R U P S
I C J L G M D B O X B Q N O I T R O P M
M F S C Y Y O T F B L Y V L J K R B N T
B L E C R A P E F W I N G E A G P E L N
M B E P O P I E C E Q M P S R G Y S U I
Z B T N S X Q I T E M N D R R S Z O B O
B J S C D H W W I X M R A O D Y E D C J
P J Q Z Y E R Q K P U W J M P V S L H I
G A T B W W T E V Y I V F R Y C L O A H
Z E R C R U M B D R F N J I F H I N P V
S H L T T W I G R C W N S N F O C F T H
P B D J W N O I S I V I D C R R E F E R
C T S E C T I O N D L E H L A G K E R A
Z Q Y A R P S N H A O W L U C A C V R S
N C B S C R A P I J B P U Z T N A X D H
E E I T F H C T C K E I M E I D N L J E
K W T N K N R A R J V N P B O I S P K R
Y P H B T A L U Z T X C E F N H H R Q S
O D C B P D U L Z S E C T O R E V I L S

TAKE A PIECE

- ARM
- BIT
- BRANCH
- CHAPTER
- CLAUSE
- CRUMB
- DIVISION
- DOSE
- END
- FRACTION
- ITEM
- JOINT
- LEG
- LIMB
- LOBE
- LUMP
- MORSEL
- ORGAN
- PARCEL
- PART
- PARTIAL
- PIECE
- PORTION
- RASHER
- SCALE
- SCRAP
- SECTION
- SECTOR
- SHRED
- SLICE
- SLIVER
- SNACK
- SNIP
- SPRAY
- SPUR
- TWIG
- VERSE
- WARD
- WING

```
C T J D N L C P L N P D N R J A M I X L
E O U H E K U X L H M I W J I S W S D I
D U N S P I I V N E R N Z T H I E S S B
I W S V O D A T E T A E L I F A L U M E
S S W X E G K W S O W S S G M P C C I R
E A O K J R A Z W U B C A R U L O S L A
R L Z P I Y S T Y C I G H N F Z M I E L
P U R S E S N E H H F T J D T D E D G V
V T I V C M S T I E L A P R E S E N T I
I E A R A K E S X T R N O N Y P O D X S
N N F M R L E E U R D C N E J A G O H I
V M F K B T U U I L S F L H R R R S O T
I I A A M I I G C A D F G O C T Y U S C
T P I U E M M R P I R N E J S Y L O T O
E M T L W E I E F D A P N R T E D I W N
A T E B C L N C Q R G P I S V L N C Y F
T B S H U G G E P O E S A A Y U E A G E
A A J A Q X L I J C R O L J I G I R O R
H Y X L R C E V M T T N C J I N R G H J
C G X B L O V E G V W G R E E T F M V G
```

PARTY TIME

- AFFAIR
- AMIABLE
- CHAT
- CLOSE
- CONFER
- CONVERSE
- CORDIAL
- DATE
- DINE
- DISCUSS
- EMBRACE
- FRIENDLY
- GATHER
- GENIAL
- GRACIOUS
- GREET
- GUEST
- HOST
- HUG
- INVITE
- KISS
- LIBERAL
- LOVE
- MINGLE
- MIX
- OPEN
- PARTY
- PLEASANT
- PRESENT
- PRESIDE
- RECEIVE
- REGARDS
- SALUTE
- SMILE
- TIME
- TOAST
- TOUCH
- VISIT
- WARM
- WELCOME

```
T H T S X Y X Q R Y A C G K F X C S N L
N P E I M S B I E K B U A N J Q E M U W
E T M C C U R K T K Q L N B W W R L S T
M O G E A K E S S W G B L G H V T L G U
U E X G Z R E T I Z M A M E M O I O O Q
C X Y G I M T T G C N E E W T K F R A X
O D W D E C K Z E K J E E G K D I C A J
D Q O A T N N H R V Z K A E G T C S O G
Q S D S T W G E V P I A W T E W A D C S
U L I T I V A D I F F A A D H Y T L H C
D L X V D B C X Q E I N O I M I E E R R
A R C H I V E S G S N M A H V I A E O I
O E A R Y M V I G A K G K H T C O J N P
E L Z N Z I T Z L I M R U E N Y Z P I T
E O D E S S E S V R Q Q M Y R A X I C I
T Z W R E A C C O U N T E T I R R I L Z
O Q Q V M I L Z H B O L N F G Q A Y E G
N R X H L L O R P F Q E D I P L O M A O
C I T P A P E R M R O F K R E H C U O V
A K S Z B J M J U M Q V A R E L I C C A
```

ON RECORD

- ACCOUNT
- AFFIDAVIT
- ANNALS
- ARCHIVES
- BLANK
- CERTIFICATE
- CHRONICLE
- DIPLOMA
- DOCUMENT
- ENTRY
- FORM
- ITEM
- LIST
- MEMO
- NOTE
- PAPER
- RELIC
- ROLL
- REGISTER
- SCRIPT
- SCROLL
- TICKET
- TRACE
- VESTIGE
- VOUCHER

```
G T K I M G J W E U N W O L L A W S N Q
B Q J C M P K C A B S A V N A C I I F R
K E G O O A A V T U R K E Y F D F E Q S
R K D N E C C R W O O H Z V O F H B H H
A C I D Q D A A A M G W L V U E T E A L
L O R O C N I E W K O N E P R L W N D A
W C L R L O O N P R E T I O O K C U C Z
O K F W Y P X I C T C E N M F T E R G E
D A H K O E S I B I D M T L A K U C O G
A T O C F I R B N P G U X B Y L X V Y D
E O T O N B R O B H H N E G P O F L S A
M O W O D E U Q B Z R E I B N X J P L E
M M C T K C K H U I N H A L A R A V E N
O A O C A P C W U A N A A S R J R H E A
L J I N U E K R H F I Q W W A A Z G E W
Q L A T H H O R N B I L L S K N T U G U
F R P A R R O T X G U L L R B Y T S K F
Y R E L B R A W K N I L O B O B C N I V
C A R D I N A L C O R M O R A N T F T J
P O V Z I Z J A K C U D S W I F T H E O
```

FEATHERED FRIENDS

- BOBOLINK
- CANARY
- CANVASBACK
- CARDINAL
- COCKATOO
- CONDOR
- COOT
- CORMORANT
- CROW
- CUCKOO
- DOVE
- DUCK
- EGRET
- FLAMINGO
- FLICKER
- GULL
- HAWK
- HERON
- HORNBILL
- IBIS
- KITE
- LOON
- MACAW
- MEADOWLARK
- OWL
- PARAKEET
- PARROT
- PEACOCK
- PHEASANT
- PUFFIN
- QUAIL
- RAVEN
- RHEA
- ROBIN
- STARLING
- SWALLOW
- SWAN
- SWIFT
- TEAL
- TURKEY
- WARBLER

```
L  I  N  E  A  R  M  G  V  C  E  D  L  B  A  E  R  D  X  M
T  E  A  R  A  W  A  Y  Y  G  P  F  G  T  D  G  F  M  P  I
N  J  S  M  R  Y  R  E  N  W  D  U  S  P  E  A  R  U  P  B
Q  R  E  B  A  A  S  A  T  F  E  E  F  K  I  A  D  X  G  S
C  M  V  J  E  R  R  S  K  S  N  A  C  L  E  A  R  I  N  G
D  F  U  W  G  R  E  R  R  R  K  R  R  R  S  O  U  H  D  N
E  I  S  K  A  R  A  A  A  O  Y  A  B  Y  T  A  U  E  E  Y
A  G  E  E  A  E  E  E  D  G  E  S  J  P  C  N  R  A  D  N
R  C  R  E  D  L  E  E  Z  B  Y  R  O  R  E  A  E  R  R  R
E  U  N  R  C  J  N  H  E  G  W  A  A  D  E  A  A  T  A  A
S  N  Q  U  B  R  O  R  E  V  F  E  J  M  J  O  R  T  E  E
T  E  N  X  A  L  O  N  Y  A  H  H  S  V  R  N  E  L  B  Y
P  A  P  E  S  F  E  R  E  R  R  S  U  U  W  E  D  W  S  S
K  R  L  G  B  E  A  A  E  A  K  D  F  P  B  E  S  R  L  R
O  T  W  Y  S  E  A  V  R  N  R  R  M  O  S  R  A  U  V  A
X  H  G  P  R  V  O  R  U  Y  A  M  K  M  A  E  F  R  H  E
A  L  C  D  C  U  Z  G  S  E  R  J  A  E  P  R  N  S  L  W
T  Y  T  I  V  H  E  T  P  A  R  F  H  R  A  O  K  B  L  Y
R  Q  G  L  B  T  T  P  B  V  V  V  V  E  K  C  M  E  Q  F
Y  J  N  T  Y  E  A  R  S  R  S  M  F  B  U  G  B  E  A  R
```

EAR, EAR

- APPEAR
- BEARDED
- BLEARY
- BUGBEAR
- CLEARING
- DEAR
- DEAREST
- DREARY
- EARLY
- EARMARK
- EARNEST
- FEARFUL
- FOREBEAR
- GEAR
- HEARD
- HEARS
- HEART
- LEARNED
- LINEAR
- NEAREST
- NUCLEAR
- OVERHEAR
- PEARL
- PEARS
- REARED
- REARM
- REARRANGE
- SEARS
- SHEARS
- SMEAR
- SPEAR
- SWEAR
- TEARAWAY
- UNEARTHLY
- WEARS
- WEARY
- YEARN
- YEARS

103

```
S  Q  I  X  J  O  I  L  G  F  I  S  H  B  A  L  L  S  J  N
Q  A  B  U  C  O  Z  U  T  K  I  M  I  R  L  J  B  S  G  C
U  D  W  E  A  G  O  R  W  X  O  F  E  X  O  T  E  Y  O  G
I  N  W  A  T  E  R  C  H  E  S  T  N  U  T  S  N  B  S  G
D  Y  K  E  L  P  T  H  B  D  J  T  J  M  U  X  O  N  M  D
C  D  E  A  R  N  A  R  F  E  P  Z  I  O  S  N  W  P  B  B
R  W  H  A  Z  B  U  L  M  B  H  C  T  E  G  A  R  L  I  C
S  Q  C  L  W  N  I  T  C  A  T  C  L  O  R  X  B  F  S  S
X  F  K  D  Y  A  K  Z  S  C  N  T  A  P  N  Q  E  J  O  T
D  U  C  K  U  C  R  A  W  R  R  G  S  N  K  E  A  C  H  E
Y  Y  E  Q  S  P  H  C  O  B  I  Q  O  O  R  M  N  Q  A  A
V  S  F  S  S  O  E  E  X  Y  Q  C  C  O  O  A  S  B  M  M
I  U  M  H  W  O  U  P  E  G  V  M  E  D  P  S  P  A  P  E
K  E  P  G  V  R  Y  P  P  E  T  N  W  L  H  E  R  M  B  D
I  G  I  N  G  E  R  X  X  E  Z  I  T  E  P  S  O  B  A  B
F  M  M  S  E  D  C  P  L  X  R  F  C  T  T  I  U  O  R  U
P  G  X  H  Z  G  L  N  G  G  F  L  A  B  S  J  T  O  C  N
Z  Q  I  A  T  F  G  C  O  R  N  S  O  U  R  N  S  F  S  S
R  I  I  R  C  F  L  S  W  Z  U  D  U  M  P  L  I  N  G  L
G  R  K  K  R  F  R  Y  K  C  Z  M  C  U  R  D  U  I  L  K
```

CHINESE TAKEAWAY

- BAMBOO
- BEAN SPROUTS
- CARP
- CORN
- CRAB
- CURD
- DUCK
- DUMPLING
- EGGS
- FIN
- FISHBALLS
- GARLIC
- GINGER
- HAM
- LOTUS
- LYCHEE
- MANGO
- NOODLE
- OIL
- PEPPER
- PORK
- PRAWNS
- QUAIL
- RICE
- SALT
- SESAME
- SHARK
- SOUP
- SOUR
- SOY
- SQUID
- STEAMED BUNS
- SWEET
- WALNUTS
- WATER CHESTNUTS

FLORALS

Solutions

Page 3

```
_ _ _ E L E G A L Y R E T S Y M _ _ _ _
_ _ _ U T S U D _ _ _ Y D U T S _ _ _ _
_ E E L A N N A D _ M _ _ R _ _ _ _ _ _
_ _ _ C _ _ _ F O O _ _ I _ _ _ _ _ _ _
P _ S _ _ E _ _ R O _ S E A R C H D _ _
R _ T _ V _ _ S _ O L _ _ L _ _ A _ _ _
I _ N _ _ I _ E _ _ S B _ _ B _ _ N _ _
N _ I _ _ T _ _ _ _ T _ _ S G _ O _ _ _
T C R _ _ C _ _ _ _ _ _ _ _ U S _ _ _ _
_ A P _ H E _ _ _ _ _ S S E N T I W _ _
_ R R _ O T _ Y O J E V O L R L _ _ _ _
_ S E _ L E _ _ _ _ _ _ P _ T _ N _ _ _
_ _ G _ M D _ _ _ _ _ N _ Y E _ U _ _ _
_ _ N _ E _ _ T N I A S _ _ O _ V _ _ G
_ _ I _ S S _ _ _ _ _ _ S I F I L E _ _
_ _ F _ H _ _ _ _ _ W _ _ _ T _ _ _ _ _
_ _ _ O T R A C K _ A _ _ O A _ _ _ _ _
_ _ O _ D U A R F _ L _ M _ W _ _ _ _ _
_ T E C I L O P _ _ _ _ _ _ _ L E W I S
E V L O S _ _ _ _ _ _ _ _ _ E S A C _ _
```

Page 5

```
_ _ _ _ _ _ _ _ E T R E T S M A H _ _ _
_ _ _ _ _ _ _ _ _ N S O _ _ _ _ _ _ _ _
_ _ _ _ _ _ _ E _ _ R A _ _ _ _ _ _ _ _
_ _ _ _ _ _ K _ _ _ O D _ _ _ _ _ _ _ _
_ _ G _ C Y _ _ _ _ _ H _ _ _ _ _ _ _ _
_ _ O _ I E _ _ _ _ _ _ _ K _ _ _ _ _ _
_ A _ H K _ _ _ _ _ _ I _ R E _ _ _ _ _
T _ C N _ _ _ C _ _ _ T _ O C _ _ _ _ _
_ _ O _ _ _ _ A _ _ E _ T I _ _ _ _ _ _
_ M _ _ _ _ _ N _ E P _ _ A M M _ _ _ _
_ _ _ _ _ _ _ A N _ A _ T _ G _ Y _ _ _
_ _ _ _ _ _ _ R _ _ R _ U _ I _ N _ _ _
K C O C A E P Y _ A R _ R _ L _ A _ _ _
_ _ _ _ _ M _ _ N O _ T _ L _ H _ _ _ _
C R O W _ I _ _ T T G L _ A _ _ _ _ _ _
_ _ G _ _ H _ _ _ O _ E _ _ _ _ _ _ _ _
_ L O T _ _ C _ _ R _ _ _ _ _ _ _ _ _ _
_ A O _ A _ _ F _ _ _ _ _ _ _ _ _ _ _ _
_ M S _ _ C _ _ _ _ _ _ _ _ _ _ _ _ _ _
_ B E _ _ _ _ _ S W A N _ _ _ _ _ _ _ _
```

Page 7

```
_ L _ _ _ _ N R O B S I R A T S A _ _ _
_ I _ _ _ _ _ E A S T E R P A R A D E _ K
_ S _ _ _ _ _ _ _ _ _ _ _ _ _ _ _ _ _ _ C
_ T _ _ _ _ _ _ K C O T S R E M M U S O
_ E _ _ _ G N I S Y D O B Y R E V E _ L
_ N E D A R A P N I K S G I P _ _ _ _ C
B D Z _ _ Y Z A R C L R I G _ _ _ _ _ E
A A I _ S I U O L T S N I E M T E E M H
B R E _ _ _ _ _ _ _ _ _ _ _ _ _ _ _ _ T
E L G _ _ W O R D S A N D M U S I C _ _
S I F _ _ _ _ _ _ _ E T A R I P E H T _
I N E _ _ _ F O R M E A N D M Y G I R L
N G L _ _ _ _ _ _ _ _ _ _ _ _ _ _ _ _ _
A _ D _ _ _ _ _ _ _ _ _ _ _ _ _ _ _ _ _
R _ G _ _ B A B E S O N B R O A D W A Y
M _ I _ _ _ _ Z O F O D R A Z I W E H T
S _ R _ _ _ _ _ _ _ _ _ _ _ _ _ _ _ _ _
_ _ L _ _ _ _ _ _ _ _ _ _ _ _ _ _ _ _ _
_ Y D R A H Y D N A S D N I F E V O L _
```

Page 9

```
_ _ F _ _ _ _ _ _ _ _ _ _ _ _ _ _ _ _ _
_ _ _ I S D R A T O E L _ _ _ _ _ _ _ _
_ _ _ M R _ _ _ _ _ _ T A F _ _ _ _ _ _
_ _ _ U M T H G I E W _ A _ _ _ _ _ _ _
_ _ _ S U _ _ _ _ _ F N G Y M _ _ _ _ _
_ _ _ _ C P _ _ _ _ L _ U _ _ E
_ B U L G E S L _ P O O L _ A _ _ A R _
_ _ _ _ _ _ E _ _ _ _ _ _ B _ _ U S _
E L C Y C I B _ _ S _ _ L _ B _ G _ _ _
_ L O C K E R E _ _ _ O _ E Y I S S _
H T L A E H G _ _ O _ X _ F L P _ S _
_ _ _ _ _ _ A _ _ P _ E _ R I U _ T _
_ E R U S A E M L _ R _ E M H _ H _ _ _
_ _ S _ _ _ R _ C _ W S S S G _ _ _ S
S _ A _ _ _ I _ I _ O _ U S I I _ _ W
T M _ _ _ H _ S _ H _ P _ T E _ Z I _
E _ _ _ W _ E D S T _ R _ _ N M E _ _
A _ _ _ _ _ I _ _ R J O G U _ T _ _ _
M _ _ _ _ E _ _ I _ _ _ _ N _ _ I _ _
A P S _ T _ _ _ _ M _ _ _ _ _ _ _ F _ _
```

Page 11

```
_ _ _ _ _ T _ _ _ _ _ _ L S _ _
_ _ _ _ A _ S W _ _ _ _ L P _ _ C
_ _ _ L L P _ O M E M O N E E _ _ O
_ _ _ K E E _ Y R _ _ E _ S T A _ N
P _ _ S E T E _ E _ D W _ E I M D K V
B _ _ H R T C _ V _ S S L _ V R D _ E
L _ _ R A I E H _ N _ _ B _ _ D O R _ S
I _ _ E R W R _ _ O _ A _ _ A F E _ S
C _ _ P E N _ _ C C E T A R O N S _ E
I _ _ _ O _ O R _ _ _ _ _ _ I S E _ _
S _ _ _ R _ T _ E _ _ _ _ L _ _ _ G T
E D A E R _ _ _ S E _ A _ L A _ _ S I
P H O N E _ _ _ _ _ T A _ C _ A P _ S H
U _ _ _ V O I C E _ A L _ _ _ N E E _
B R I A _ _ _ _ G _ T _ _ _ N _ G M _
L _ _ _ _ _ _ N _ _ E _ E _ Y _ I _
I _ _ _ _ _ _ I W R I T E P _ _ _ A _ S
S C O D E _ S _ _ _ T I D I N G _ _ S _
H _ _ _ _ _ _ _ _ _ _ _ _ T R A P M I _
```

Page 13

```
Y A W A R A C _ _ _ _ _ _ _ Y _ _ _ _
_ L E N N E F _ _ _ _ _ _ _ R _ _ _ _
_ _ _ _ _ _ _ Y A _ _ _ _ _ A _ _ _
_ _ _ _ _ _ _ N _ C _ _ _ _ M _ _ _
_ _ S _ _ A _ _ M O I _ _ _ E _ _ _
M _ _ O T _ _ I R _ L _ _ S S A G E
A _ _ T R _ _ N E _ E _ O M _ _ _
R _ I _ R R _ _ T G _ _ G _ R U _ _
O D _ _ E E _ A _ _ _ N _ S _ _ _
J _ _ _ D L _ N _ E _ A T _ _ _
R _ _ _ _ N _ O S _ _ A _ _ _
A N _ _ _ A I _ L _ _ R _ _ _
M O E M Y H T _ N I _ I _ _ D _ _ _
_ G _ _ _ A _ R L _ V _ _ D _ _
_ A _ _ _ _ _ O I _ R _ _ I _ _
_ R _ _ Y S N A T C S _ E _ L _ _
_ R _ _ _ _ _ _ A _ H L _ _
_ A _ H O R E H O U N D _ _ _ B _ C _ E _ U
_ T _ _ _ _ _ _ _ _ _ _ _ _ _ _ _ R
_ _ _ _ P A R S L E Y _ _ _ _ _ _ _ R
```

Page 15

```
_ _ N R A E _ _ _ _ _ _ _ _ _ _ _ _
T _ _ _ _ _ _ _ _ Y S T W I T H _ _ _
O _ _ _ _ _ _ _ _ _ A _ _ _ _ _ _ W
I _ _ _ _ _ _ _ _ L _ _ _ _ _ _ O
V _ _ _ D E E W T _ L _ _ _ N _ _ R
E _ _ N _ _ T _ E _ _ _ O _ _ _ R
T _ _ O _ A _ E N _ _ T O _ _ A A
_ _ _ V W _ I _ _ _ D U _ _ L D Y
_ _ _ E _ _ G _ _ _ N _ M L _ O _
_ Y _ E D _ _ O _ _ O _ _ A M _ N
_ A _ R R _ _ _ B _ _ R _ N _ E _
T _ I A E _ F O Y E R S _ _ _ _ L H
_ _ A N _ T _ V _ _ _ _ _ _ H T
L E V E N T _ A E _ _ E N O R R A C T A
_ D _ S A E _ D W T _ _ T F _ _ I E
_ O _ K N I C _ A _ _ T O _ _ N N
_ V _ _ T A _ F L _ _ R R _ _ _ _
_ E W _ H R _ F _ A _ _ I T _ _
_ Y _ Y _ T _ _ _ G _ _ C H _
_ _ _ E _ _ _ E V I T E _ _ _ K _
```

Page 17

```
_ _ S Q U A R E _ _ _ _ _ _ _ _ _ N
_ _ _ T _ _ _ _ E _ _ M _ _ _ _ O
O V A L R C _ _ _ L Q _ U _ _ _ G
_ _ _ I I _ _ _ Q C U _ I _ _ A N
_ _ N _ A R _ _ U R A _ N Z _ _ O
_ _ O _ N C _ _ A I D T O E _ _ N
N _ G _ G L _ _ D C R N G P _ _ T _
O _ A _ L E M _ R I A E A A R _ E _
G _ X _ E _ _ A _ A M N C T R H _ T _
I H E E _ _ _ R N E T S C T O _ R _
R E H _ L _ _ G S _ E O _ M _ A _ N
T P N _ G _ _ L O _ R _ _ B C G O O
_ T _ O P _ N _ E _ L C _ _ U U O B G
_ A C _ G E N A _ _ E _ _ S R N L A
_ G _ R _ A N O T _ _ _ L _ V _ O C
_ O _ _ A _ C T G C _ _ _ L _ E _ N E
_ N _ _ _ _ E A Y E _ _ _ A _ _ G D
_ _ _ _ _ D G L R _ _ _ _ R _ _ _
_ _ _ _ _ O O O _ _ _ _ _ A _ _
_ _ _ _ _ D N P _ _ _ _ _ _ P _
```

Page 19

```
_ _ _ _ _ _ _ _ _ _ _ _ _ _ _ _ _ _ _
_ _ O T A C S O M _ _ _ C _ _ _ _ _ _
_ _ _ _ _ _ _ _ _ _ _ _ U _ _ _ _ _ _
_ _ _ _ _ _ _ _ _ _ _ _ V _ _ _ _ _ _
_ _ _ K _ _ B D E M I _ E _ _ _ _ _ _
_ _ S _ _ L _ D _ _ _ _ E _ _ _ _ _ _
_ A _ _ E L _ _ O _ _ _ S L _ _ _ _ _
C _ _ N _ A _ _ U _ _ A P _ _ _ _ _ B
_ _ D W _ T _ _ _ X B _ A _ _ _ _ _ U
D _ _ _ I E _ _ _ E C _ _ _ R L _ S
_ E _ _ N _ _ L _ T O _ _ K _ T
_ R _ _ E _ _ _ _ I L _ _ L _ R
T _ _ E B _ _ _ _ F H O _ _ E O
_ U _ V _ _ O _ _ _ E _ W U _ F N
_ R _ _ _ T _ _ _ R _ _ R R _ G
_ E _ B _ _ _ T _ _ M _ _ A _ S
S _ _ _ _ _ _ _ L _ E _ N _ M _
_ _ _ T E E W S _ E _ N _ C _ E _
_ _ I T N A M U P S _ T E _ L _
_ _ _ _ _ _ _ _ _ _ _ L _ _ T O L
```

Page 21

```
_ _ _ _ _ _ C _ _ _ _ _ _ H _ _ _ _ _ _
_ _ S _ _ Y _ _ _ _ _ O _ _ _ _ _
_ _ T _ _ C _ S _ _ _ _ C _ _ _ _ _
_ _ N _ _ L _ E _ _ _ K _ _ _ _ _ _ W
_ _ E _ _ E _ C _ _ _ E Y _ _ _ _ _ R
_ _ V _ _ S _ A _ _ _ Y _ _ _ _ _ E
S _ E _ E _ _ R _ Y R E H C R A _ _ _ S
H _ _ M _ _ _ _ _ _ _ _ _ _ _ _ _ T
_ O _ I _ Y R T N U O C S S O R C _ L
_ _ T T _ S T E E P L E C H A S E _ I
_ _ _ P _ _ _ _ _ _ _ _ _ _ _ _ _ N
G P _ U E Q U E S T R I A N _ _ G
N _ M _ G T B A S K E T B A L L _ _
I _ _ _ A R E L A Y S W I M M I N G _
W _ M _ H _ _ H U R D L E S _ _ _ _
O E _ _ _ C _ _ _ _ _ _ _ _ _ _ _
R S _ _ _ _ _ _ _ _ _ _ _ _ _ _ _
_ _ _ B O X E R _ M E D A L _ _ _
_ _ _ _ _ _ R E C C O S U C S I D _
M A R A T H O N _ _ S T R O P S _ _
```

Page 23

```
_ _ B I C Y C L E _ _ _ _ S L E E H W _
S _ G _ _ _ _ _ S _ _ R I M S T _ _ _ _
P _ E _ _ _ _ P _ _ _ _ _ I H _ _ _ _ _
I _ A _ _ A _ _ _ _ T V _ F A _ _ V
L _ R B _ M G _ _ Y A _ T N _ _ A
C _ L R _ E _ _ R L _ U D _ L
E _ E A S _ A _ E V _ B O G _ V
L R V K R _ R _ S E F _ _ E _ E R _ E
C E E E A _ S _ N T _ R L _ R I _ S
Y A R S B _ _ U O _ _ L A _ U P _ A
C R _ _ E _ T O _ S P _ _ M _ T S H D P
I L _ L _ L _ A P _ _ E C R E D A
B I P _ D S _ D D _ R _ _ N E L L C
_ G U _ N _ _ L _ D _ _ O _ U F M E E
_ H M _ A _ O _ _ L S _ C _ P L E B V
_ T P _ H C _ _ _ E _ L _ K _ E T A L
_ _ _ K _ _ _ _ _ _ A _ _ E C _ G A
_ _ _ _ S D A P E K A R B D _ T _ V
_ _ _ F R O N T L I G H T _ E _ O _
C H A I N W H E E L _ _ _ _ P R _
```

Page 25

```
_ _ _ _ R _ _ _ S C E N E M _ _ _ _
_ _ _ O R _ _ _ _ _ _ A _ _ _ _ _
_ _ T _ _ E S S E R T C A K _ _ _ _
_ C Y _ _ H _ _ _ L _ E _ _ L _ _
A _ N _ _ E _ E _ I _ U _ _ L _ _
_ O _ _ X _ A G _ E P _ A _ _ _ _
_ C _ _ _ T H R _ _ G C _ _ S S _ _
_ L _ C _ T R _ S _ N A _ _ E P A
_ A _ O A S _ _ A _ A I _ _ T _ M O R
_ B M _ S _ D _ _ A L _ _ _ S U R T
_ E _ T _ I T _ _ _ _ C _ T P S
_ D _ _ _ _ _ R _ _ S _ _ S _ E
Y _ _ _ _ U _ E _ E _ _ E O _ H
_ _ R _ _ C _ _ C A _ _ _ C _ C
R _ O _ A M A R D _ _ T E K C I T _ R
E _ L _ _ _ _ _ _ S O _ _ _ _ _ O
_ _ H E M R O F R E P _ _ _ R _ _
_ _ S _ _ _ _ _ _ _ _ _ _ _ _ _
_ _ _ U E N O H P O R C I M _ _ _ _
_ _ _ _ _ _ _ _ _ _ _ S E G O L _
```

Page 27

```
_ _ R E F U N D S _ _ D O N A T I O N _
_ _ _ _ M I P A Y M E N T D _ _ _ T _
_ E _ _ _ R N _ _ _ _ _ R _ _ _ _ E T
D S _ _ R E C E I P T S A Y P _ _ S K C
E I _ _ T O _ _ _ W _ T R _ B E R E
P A _ _ M _ _ _ E _ _ I O _ O C A L
O R P _ _ E _ R _ R T U F E N N M L
S _ S E _ _ _ _ _ I _ S N I Z D A _ O
I P E _ N _ _ _ A _ _ E N T I K N T C
T U X _ G S _ F _ _ V A _ R N I N _
_ R A _ R B I _ _ _ N _ M P A F E _
_ C T S A E _ O _ _ _ I I _ B E M _
_ H _ A N N _ _ N _ E _ A _ _ E W _
_ A T V T E _ _ _ G _ L _ _ _ S O _
_ S S I _ F _ _ D _ C _ _ _ _ _ D B
_ E U N _ I _ E _ _ _ _ _ _ _ N O
_ _ R G _ T L R E S O U R C E S _ _ E N
_ _ T S _ P _ _ E A R N _ _ _ _ _ _ U
_ _ _ _ _ D I V I D E N D _ _ _ _ _ S
_ _ _ G R O S S R E T U R N S _ _ _ _
```

Page 29

```
F K N U C K L E _ H _ _ _ _ B A C K _ _ _
O _ _ _ _ _ _ _ _ A _ _ _ _ _ _ T _ _ _
S _ O _ E S _ _ _ N _ _ _ H C G U M S _
K D _ T S _ O _ D _ _ _ E A _ M _ _
I A _ _ O _ _ L _ B _ _ _ E L _ M _
N E _ _ N L _ E _ M _ _ _ _ _ L F _ Y
_ H _ _ I R P _ _ _ U _ _ W _ W _ _ _
S _ _ A A _ _ A _ _ H _ O _ O _ _ _ E
H _ N E _ _ _ L _ T B _ R _ _ _ A O
O _ _ _ _ _ _ M L _ B _ _ _ T B T
U _ T H I G H _ _ E _ E E _ _ E O D
L _ T O N G U E H _ Y _ _ Y C _ O O _
D _ _ _ F _ _ A E _ _ _ A E _ T M _
E _ _ _ E O C H I N C T F _ _ L H E _ K
R _ _ E _ _ R _ R _ H _ R _ _ A N _ C
W _ N _ _ _ _ E _ _ E _ _ U _ _ S _ E
A K _ _ _ _ _ _ H _ S _ _ _ N _ _ H N
I _ _ _ _ _ _ _ _ E T _ _ _ K M _ _
S _ _ _ E Y E S _ A _ _ _ _ _ R _ _ _
T _ _ _ _ _ _ _ _ _ _ D _ A _ _ _ _ _
```

Page 31

```
_ _ _ _ B _ _ _ B _ _ _ _ _ _ R L N
_ _ _ _ _ U _ J _ C _ L _ _ _ E _ A O
_ _ _ _ C _ A _ R _ O _ _ L _ _ Y E
W H I P T _ _ C N C _ E _ C K _ _ _ O L
_ Y S _ A T _ A A _ K _ W C K _ _ _ R L
_ E A _ O E _ D E N _ B U _ A A _ _ T A
_ L N _ B K _ A B _ E B O _ _ P D _ R G
_ L D _ G S _ M I _ H E _ O _ _ T E O
T A _ _ N U _ R R S _ G R _ T _ _ A P
A G _ _ O M _ A A _ O S A I L S _ _ I
N K _ _ _ L _ _ W C R _ C _ _ _ N _ _ N
K _ _ _ T S _ G _ A _ _ _ O _ _ _ _ _
A R _ _ _ R B _ _ _ _ N _ _ O G _ _ _
R _ _ _ D E O _ _ _ N _ _ L A M _ E
D _ _ L A O S P A R O _ _ _ B L O _ T
_ _ _ _ O S T _ _ _ N _ _ U L R _ A R
_ _ _ _ G U Y _ _ _ _ _ _ O O G _ R
_ M _ _ _ R _ _ _ _ _ _ _ D W A _ I
_ U _ _ _ E _ _ _ C U T L A S S S N _ P
_ R _ _ _ _ _ _ _ _ _ _ _ _ _ _ _ _ _
```

Page 33

```
_ _ _ _ _ _ _ S _ _ I S O L A T E D _ _ _
_ _ _ _ _ _ _ E _ _ _ D E S O L A T E _ _
_ _ _ _ _ _ N C _ _ _ _ _ T _ _ _ _ _ _
F _ H _ _ R R _ _ _ T _ _ _ R _ _ _ _
O _ E _ _ O E _ _ N _ A Y R A T I L O S
R _ R _ _ L T _ _ W _ E _ P R I V A T E
S _ M _ _ R _ S A _ R A D _ _ _ _ _ R
A _ I _ _ O _ E R _ T _ E _ _ _ _ E _
K _ T _ _ F _ C D _ E _ T _ _ _ T S _
E _ _ _ _ _ _ L H E R _ A _ _ I E _
N _ _ O _ _ _ U T _ N _ C _ R P _ _
_ _ N _ _ _ S I _ _ O H E A _ _ F _
_ _ E E D _ I W _ _ _ D R _ _ _ O _
_ _ S _ E _ O _ _ _ A N _ _ _ R _
_ _ U _ S S N _ _ _ T _ E A _ _ G _
_ _ L _ E _ H _ _ E _ _ _ L B _ O _
_ _ _ C _ R _ _ U _ S _ _ _ O A T _
D L O C E _ _ _ _ T T _ _ _ _ S T _
_ _ _ _ R _ E _ _ _ _ _ _ A _ _ _ E N
_ _ _ _ _ _ D _ _ _ _ _ Y _ _ _ _ _ N _
```

Page 35

```
_ A I N T N O S U N S H I N E _ _ _ _
_ T I T A E B _
_ _ E _ E M F O T R A P R E H T O N A
_ _ T B E N
_ _ S I _
_ H H _ _ N A E J E I L L I B _ _ _
_ E W _ _ _ _ B A D _
_ S R _ G O T T O B E T H E R E _ _ _
_ O O _ _ _ _ _ U O Y H T I W K C O R
_ U K M A N I N T H E M I R R O R _
_ T C _ _ _ _ D I R T Y D I A N A _
_ O A _ _ N I B O R N I K C O R _
_ F L E F I L R U O Y N I Y A D E N O
_ M B _ _ H E A L T H E W O R L D
_ Y M _ O F F T H E W A L L _ _ _
_ L A _ _ _ L E A V E M E A L O N E _
_ I J _ _ _ _ _ D N E I R F L R I G
_ _ F _ _ _ _ _ _ S A Y S A Y S A Y
_ _ E _ _ _ _ G E T I T _ _ _ _ _
```

Page 37

```
D _ _ _ _ _ _ D A R I N G G _ _ _
W E _ _ _ _ _ _ S _ _ _ R _ _ _ C _ _
I T F _ _ S _ _ P _ _ _ I _ _ _ H _ _
L N _ Y _ _ S _ _ I _ _ _ T _ _ _ E _
D A S _ _ _ E _ N R _ H _ T _ _ _ E _
_ I S _ _ _ W _ O I _ S _ Y H _ _ R _
G L E _ _ V O _ I T _ A R _ _ E _ _
A A N D _ I R _ L _ _ D A V _ _ R _
M V D L H R P _ _ _ _ S _ E _ _ O _
E _ L O A T _ _ _ _ _ H _ _ N D _ I _
B _ O B R U _ _ D _ M A N L Y _ T A _ C
_ U B R D E _ P E _ _ E _ _ _ _ U R _
_ _ L A Y _ _ L E _ _ _ S _ E _ E _ R E
_ _ L _ _ _ U D _ _ S C _ _ L _ _ E
_ _ L Y T _ C _ _ _ R _ _ T _ _
_ _ _ Y _ _ I K _ _ E _ F _ _ T _
_ _ H E R O _ G _ _ I _ _ E _ E _
_ B R A V E R Y E F _ R I S K A M _
_ _ _ _ _ _ _ _ R _ _ _ _ _ T _
```

Page 39

```
C A S E S _ _ _ _ _ S _ _ _ _
_ _ F C E L L _ _ _ P F A S T _ _ _ E _
_ _ _ O _ _ _ _ _ I _ _ _ _ _ F _ D _
_ O _ _ R _ _ _ _ T _ _ _ _ I _ O _
_ I _ E C _ _ _ _ F _ _ _ L _ C _
_ _ D _ L E _ _ _ I E _ _ M _ _
_ _ A _ ! _ _ N C _ F _ _
_ _ _ R _ F _ _ G I _ _ I _
_ _ E _ E M I T _ _ E L _ _ E _
_ R N _ _ _ _ _ R O _ _ S L _
_ I E _ F _ _ _ P P _ _ P _ D
F P _ _ O _ _ _ R _ _ A _
O _ _ _ R _ _ _ F _ I _ R S _
_ _ _ G _ _ R _ _ N T _ R _
_ _ E _ A _ _ _ T _ _ A _
_ _ R _ U _ _ _ _ _ C _
_ _ Y D _ _ _ _ _ F E N C E _
_ _ _ _ _ _ _ _ _ _ _ _ _ _ _
_ _ _ _ _ _ _ L O R T A P _
_ _ _ _ _ _ _ D L O H _ _
```

Page 41

```
_ _ _ _ T R E V O C _ E U Q A P O _ _ _
D _ _ T N I U Q S _ E _ _ T H _ _
_ I _ _ _ _ _ E L _ _ N I _ _ B L U R
_ M _ _ _ C V A _ _ I D _ _ _
W _ _ _ L A P C _ A D _ _ R E M O T E
O _ _ _ O S _ O C F E _ _ F _ H _
D _ _ U I _ N O _ N _ E O _ A _ E _
A _ D V _ F N _ _ _ G S Z _ E L _
H Y E R U C S B O _ _ _ Y U L _ D _
S _ _ S E D E N G I E F C T R _ D _ E
_ _ E A _ T _ M _ _ O B _ _ T A _ L L
_ _ L _ _ A E _ A V U _ _ _ S I _ U
F A D E D N U _ _ E S F O G G Y V B _ F
_ _ _ _ G G _ R _ _ K _ D N I L B A T
K _ _ _ L A _ _ _ _ K R A D _ _ B
N _ _ _ E V _ _ C R Y P T I C _ _ U
A _ M U D D Y B A N N E D S H A D Y _ O
L _ _ _ _ D E L L E V E B D E L I E V D
B _ _ _ _ _ _ _ _ _ _ _ _ _ _ _ _ _
_ _ _ Y T S I M _ C I T S Y M _ _ _ _
```

Page 43

```
N A G R O _ L _ _ _ _ _ _ _ _ _
K _ _ _ _ _ _ U _ D L O H E B _ _ _ E
N _ _ _ _ _ F _ _ N O I S U L L I _ _ L
I _ M E V R E S B O _ _ _ _ _ _ _ _ _ B
L _ I _ _ Y _ _ _ _ _ _ P E E P _ _ I S
B _ R _ _ E _ D _ A _ _ _ _ _ _ _ _ _ S
_ _ A G L A N C E _ _ T R O T S I D _ I
T H G I S W E K _ _ S A I P O Y M _ V
_ _ E _ H _ A R _ G _ I _ _ _ _ _ T _
_ _ _ I _ N N _ O A _ V E _ _ _ N _ _ _
_ _ T _ _ O L _ G P _ A R _ _ I _ P _
O E _ _ I _ O _ A E _ E A _ A U K U _
G _ _ S P _ O _ Z _ N N _ _ Q T P N _
L _ I _ O _ K _ E R I O _ S _ I S _ I _
E V _ O I _ _ S O T C _ C _ L _ _ _ _ W
_ _ R _ N _ C C E U _ I _ V I E W _ _ _
_ B S _ T A _ R L _ T E L B U O D _ _ _
S _ I _ N _ _ A _ P I M A G E _ _ _ _
_ _ R _ _ _ R _ O _ E P O C S I R E P _
_ _ I _ _ _ _ _ _ _ G A N D E R _ _ _
```

Page 45

```
_ _ _ S A G _ _ J _ _ _ C O M E D Y _
_ _ Y _ _ _ _ O _ A _ _ _ _ _ _ _ _ _
_ _ N _ _ K _ E N J E S T E R _ _ _
_ _ N _ _ E _ E N E _ _ _ _ _ _ _ _
_ _ U _ C _ _ L I Y Y T L W O _ _ Y
_ _ F R _ L G L H L U _ _ _ _ T _ _
_ _ A _ O S G H _ L O _ _ C R _ _ _
_ C _ _ R S _ I C G E L _ _ A L O O F
_ K _ D I _ _ G N U B _ _ E _ O _ _
G A G _ L _ _ _ U F E _ H _ _ _ _ W
_ _ B _ _ O A F P F _ L _ _ _ _ _ _ N
R A O R _ _ D _ A _ B _ _ _ _ _ _
R E T N A B _ R G _ W _ G _ I _ _ Y _
_ _ _ _ I R _ U _ _ _ S L _ _ _
_ E E L G _ _ B I _ L _ _ K L I _ _
_ _ _ _ _ _ N L _ _ _ _ O O F R _
_ H E E H A W _ _ _ _ _ J _ A O _ _
H I L A R I T Y _ _ _ _ _ R _ R _
M A T T E R P A R O D Y _ C P I U Q B _
R E E J _ _ _ _ _ Y O J E _ H O R S E _
```

Page 47

```
T U R N A B O U T _ _ _ F _ _ _ _ _
_ E _ _ _ _ _ _ _ _ E F _ _ _ J _ _
_ C _ _ _ _ _ _ _ V O _ _ _ O _ _
_ N _ _ _ _ _ E R T _ _ _ G _ _
L U _ _ _ M _ _ L E S _ _ _ _ _ _
W O M _ _ _ E _ B W A L A S H O U T
A B U _ _ _ A _ M S L _ _ _ _ _ _
R N S _ J _ N _ E _ B H _ _ _ R _
C R H _ I _ _ D _ E R _ E S N _ _ I _
_ U _ G _ _ E _ K T P L U U _ _ _ C _
K T _ G S _ R _ A K U T P D _ F L O W
A R R _ L _ H _ H N L S N G _ _ C _
E E E _ E _ T I C S I L U I E _ _ H _
N V V _ _ N E N F _ L _ B P _ _ C E E
S O A _ U G I _ _ T B _ _ S _ _ R T L
_ _ W H N _ N _ S H U F F L E _ _ E _ D
_ S A _ U _ _ _ _ _ _ _ _ _ E _ I
_ _ H _ R _ _ _ D I V E R T _ P _ S
_ C _ _ _ _ _ _ _ _ _ _ _ _ _ _ _
_ T U M B L E _ _ _ _ _ _ _ _ _
```

Page 49

```
_ _ _ _ V I A D U C T _ _ _ _ _ _
_ _ L _ _ S _ T _ _ _ _ H B R I D G E _
_ A _ _ _ T _ R _ _ C _ _ _ _ _
_ R _ _ _ E _ U _ A _ _ R I V E R
N U L _ _ _ E _ S S _ O _ _ T O W E R
O T _ O _ _ _ L _ U S R _ _ _ _ _ _
O A _ A _ _ A _ _ P P L A K E _ _ _
T N _ D _ T _ B _ _ P _ _ M P I E R
N _ C _ O _ U _ S _ A O A _ D _ _ O
O _ A E O _ T _ _ T _ _ R R _ R _ _ P
P _ _ U X F _ M _ _ H R F _ _ T A _ _ E
_ _ S P _ _ E _ _ C U _ _ O _ _
_ B E A M S N _ _ R _ _ C _ B _
_ _ W N S _ T R _ A _ _ N T _ T I E D
G _ _ A S R _ _ O A N C H O R U _
U _ Y I E _ _ A _ _ _ S _ _ R _ T
_ A _ O D _ D _ _ _ _ S _ _ _ E F _
_ _ R N R _ W _ _ _ _ I _ _ _ I _
_ _ D I _ _ A _ _ _ A _ _ _ L _
_ _ _ G _ _ Y _ _ _ _ _ C _ _ _ _
```

Page 51

```
_ _ _ E _ _ _ _ _ _ _ _ _ _ _ _ _ _ _ _
_ _ C _ _ T _ B L O C K _ _ S _ _ _ _ _
_ _ I _ _ C _ _ _ _ S T R E N G T H _ _
_ _ P T _ U P _ S P E E D _ _ _ A _ _ _
_ _ O C _ R S O _ _ _ _ _ _ _ _ _ L _ _
_ D S A _ _ T H _ W _ _ _ _ P _ _ _ S L
E R I R _ S O _ E _ _ _ L _ _ _ _ E _ _
V I T P _ B O _ _ R _ Y A _ _ E M _ _ _
I B I _ _ O T _ _ A _ A Y _ _ N A _ _ _
E B O _ _ _ P A S S _ N _ L _ _ D G _ _
C L N W I N D _ _ B _ I _ E _ _ _ U _ _
E E _ _ _ _ _ S _ O _ M _ R _ _ _ R _ _
R _ _ _ _ _ N _ L _ A P _ K _ A _ _ _ _
_ _ _ _ _ R T E A M S T O _ I _ _ _ _ _
_ D _ _ U _ _ _ _ S I _ C _ _ C _ _ _ _
_ _ I T _ _ P _ _ _ N K _ _ E _ _ _ _ _
_ _ V _ _ O _ _ _ T T R A P _ _ _ _ _ _
_ _ _ _ E _ T B A L L S _ T I M E _ _ _
_ _ _ _ _ _ _ S _ _ _ _ P E R I O D _ _
_ _ _ _ _ _ C O R N E R R U L E S _ _ _
```

Page 53

```
F _ P W E M B L E Y _ M A T C H _ _ _ _
R R A _ _ _ _ _ _ _ _ _ _ _ _ N _ _ _ _
E E S _ _ _ _ _ _ _ _ _ _ _ _ _ I _ _ _
E G S _ _ _ _ _ _ T O U C H C _ _ W _ _
K A H G U N I T E D _ _ _ _ R E O _ _ _
I N C O _ _ C O R N E R _ _ O M R _ _ _
C A A A _ _ _ _ _ _ _ _ _ S I H _ _ _ _
K M O L _ _ _ _ _ _ P S E S T T O _ _ _
_ A C S F _ _ _ _ _ I I M T F _ F _ T
J N _ O _ _ _ _ _ T N I R L _ F _ A
O C _ _ U _ G A M E _ C G T I A _ S _ C
E H _ E L _ B A L L H I L H H _ I _ K
R E F L L _ _ _ _ N L S _ _ D _ L
O S A T A _ _ _ _ E G U _ E E _ E
Y T N S B _ _ L F _ V F _ E _ _ _
L E S I T _ _ A I _ _ E R _ _ _
E R _ H O _ _ N E N _ _ E R _ _ _
_ _ W O _ _ I L _ E F _ T _ _ _
_ _ _ F _ _ F D _ E _ _ _ O _ _ _
_ _ _ _ _ _ R _ _ _ _ _ _ _ N
```

Page 55

```
_ _ B A R G E E _ _ _ _ R A F T _ _ _
_ _ _ J _ _ T _ _ L C _ _ _ _ _ R _ _
_ R _ U _ _ T _ _ E _ A _ _ _ E _ _
_ E _ P _ N _ E R _ _ V _ T _ N _ _
K P _ A _ _ K V E A H A _ _ _ O D _ _
A P Y C C _ _ R K S G R _ _ O _ U _ _
Y I A K C O G O N L A A _ H _ _ G _ _
A L W E _ _ R C A A R C C _ _ _ O _ _
K C L T _ _ A T B R S _ _ _ U _ _ _
_ _ _ _ C E U _ M _ T _ R
R _ _ _ _ _ T L C _ A _ _ _ _ E _ _
E _ _ _ _ _ T _ E R E _ _ K S C
N _ _ _ _ U _ _ _ U _ _ R I E _ O
I _ _ _ C L U G G E R Q _ A U T _ L
L _ T U G _ _ _ _ S B R A W _ _ L
N S U B M A R I N E _ _ A C G _ H _ I
A _ O U T R I G G E R _ B I _ A _ E
E _ B A T T L E S H I P R _ _ _ L _ R
C _ _ _ _ _ _ _ _ F _ _ E _ _ _
O _ _ _ _ _ P R I V A T E E R _ R _ _ _
```

Page 57

```
_ _ _ N W O R F _ _ E _ _ _ _ P _ F _
_ _ _ _ _ _ M _ G _ _ H _ _ O _ L _
G G L A R E _ _ O _ N _ _ G E _ U _ I _
_ A _ _ _ _ _ P _ I N S I C R T H N _
_ _ Z _ _ _ E K R I T S A E _ C C _ _
_ _ _ E _ _ C N C R A _ P D _ U H _
C O W E R _ _ N I _ G R _ B D _ O _ _
_ _ S H A K E A L _ _ E _ E U _ L _ _
_ _ _ _ _ L B R _ _ _ N H _ S _ _
_ E _ _ _ _ G _ E _ _ D S _ _ B T
_ V _ _ _ S T O O P W _ O _ _ U _ S R
_ _ A _ _ G U R H S _ O _ _ U _ S _ _
_ _ W _ E S _ S _ _ L S _ _ W T
_ _ _ C N _ M T _ _ H G _ _ A S
_ _ _ A U _ _ I _ Y R N _ _ _ G _
_ _ M G _ L _ _ A E E C N I W G _ _
_ _ I G _ E _ _ _ W M S _ _ _ E _
R L _ F I D G E T _ _ _ N B T _ _ R _
G E _ P O O R D _ _ _ _ _ L L _ _ _
_ _ _ L W O C S _ _ _ _ _ _ E E _ _
```

Page 59

```
_ _ P A S S E D A W A Y _ _ _ _ _ _
_ _ _ _ T H E D U N E R A B O Y S _ _
_ _ T H E R A G G E D Y R A W N E Y T
_ L I Z A R B _ _ _ _ _ _ _ _ _ _ H _
_ _ _ I N S E R T S _ _ _ _ _ _ _ E _
_ L L A W E H T D Y O L F K N I P _ C _
_ _ A S I L A N O M _ _ _ H _ _ _ O _
_ _ _ _ R E T I S S A L _ O _ _ _ T _
T H E H O N O R A R Y C O N S U L _ T _
_ _ _ _ _ _ _ _ _ _ K _ _ _ _ _ O _
G N I Y D E H T R O F R E Y A R P A N _
_ _ _ _ _ _ _ M E R M A I D S _ _ C _
_ _ _ E L C R I C R E N N I E H T L _
Y A D I R F D O O G G N O L E H T _ U _
_ _ _ _ _ _ _ _ _ _ _ _ _ _ _ _ B _
H E A R T C O N D I T I O N _ _ _ _ _ _
_ _ _ _ _ _ S W E E T L I B E R T Y
S R E H T O R B O I R A M R E P U S _ _
```

Page 61

```
_ _ G I W _ L T E N G A L L O N P O _ _
T G _ T E R E B R E L F F U M I B L V
L N _ _ U T E N N O B P _ _ N _ A A I
E I H C _ H _ P _ _ A _ _ C _ _ B H S
F R E _ _ A O C _ _ E A F _ U _ O _
_ _ L _ _ _ T L _ C N R U _ _ S _ R
F _ M _ _ _ L _ R E A R _ _ _ H _ R
E _ E _ _ B U _ O Z I _ _ _ _ K _ _ E
D _ T _ _ K A W _ T E N O H P _ A _ _ P
O R _ _ S _ N N _ F E A T H E R S E _ A
R E _ H E A D D R E S S _ _ E T O _ P
A N _ _ F B E A N I E _ A T H R _ _
_ I _ _ E _ C O M B R E _ C E _ _
_ L _ D _ _ I C _ _ _ _ M R E _ T R _
_ O _ _ H H _ _ U R _ R _ A B _
_ O M A S K C A _ _ F A _ _ T _ P M _
H _ N _ _ R P _ F B _ _ _ I _ _ O _
_ R _ _ E E S _ _ _ _ M _ _ S _
_ O _ _ _ K A _ P O M P O M _ _ _ _
H _ _ _ _ U H A I R P I E C E _ _ _
```

Page 63

```
B _ _ _ N G I S T B R I N G _ E M I T _
R _ _ _ S _ _ _ S _ S W I T C H _ _ _
O _ _ _ T _ W _ _ A _ _ _ _ _ _ _ C _
A H A N G _ A E O _ _ L _ _ P _ _ L A _
D T S _ _ M _ G R R _ _ B I _ _ E _ R T
W E T _ _ A D _ E I K _ C _ _ A _ _ R H
A G I _ _ R _ N T _ F K _ _ D _ P _ Y G
Y R M _ _ C _ _ A H _ _ _ _ _ _ O _ _ I
_ A I _ _ H H _ _ T R L E A V E R _ R A
_ T L _ _ O _ _ W S O E _ _ _ D _ I R
_ _ _ W _ L _ T _ O _ W M _ _ _ G T
Y E A R A _ D U _ N _ L _ _ O S _ _ H S
_ F _ _ R _ C _ O _ _ T B S _ C S _ T
_ _ F _ D _ _ D N U O S U _ H H E E _
_ _ _ O _ _ A W K _ K A E R B O S K R _
_ _ _ S E _ _ A C _ _ _ N _ W U A P
_ _ _ H D _ _ _ S O _ _ T _ _ _ P T
_ B R U S H N _ _ _ H N _ U _ P A S S _
_ _ _ _ _ _ A _ _ _ K P _ _ _ _ _ _
_ _ C A L L _ _ H _ _ _ _ _ H C T A W
```

Page 65

```
_ _ _ _ _ _ _ _ _ _ B _ _ _ _ _ _ _ _
_ _ _ _ _ _ _ _ L _ _ _ _ R _ _ _
_ _ _ _ Y E L L _ _ A _ _ E _ _ _
_ _ _ _ _ B _ _ _ _ S Z _ _ _
R I F L E _ _ E _ _ _ _ Z T _ C O U G H
_ _ _ _ L Y _ U _ _ _ _ _ _
S _ _ _ _ S _ L B _ _ _ N E R I S
_ N _ _ _ _ E _ _ A _ _ _ _ _
_ _ E R E M M A H _ _ _ B _ _ _ _
_ _ _ E _ _ I D _ _ _ K R A B _
_ _ _ Z _ H _ R _ G _ _ _ _ _
_ _ _ E C _ U _ N _ _ _ _
_ _ _ C _ _ M _ B A _ _ E _
C _ _ R _ _ N _ _ M _ _ B _ N _ _
R _ _ I _ _ O _ _ O _ _ E A _ M _
A _ _ C _ _ N _ B _ _ L L _ O B _
S _ _ G K _ _ _ _ T P _ T I _
H _ N E _ _ A _ _ _ T R _ O R _
_ _ O T _ _ C _ _ A I _ R D _ _
_ _ G N I A R T R A _ _ S _ S E E B _
```

Page 67

```
  E               W E M S
  A     K         L T E B R A B
G G   R           A
N L   O           N
I E T   W         I B L U E J A Y
L S   R           D           L
R   E             R N       A
A   N             A   R     R
T           N O E G I P C   E       K
S           N   N   N T R E E T
  O             I R   E
T   W         B E   N           E
O     L         O K   E       L
R       S   D   R C         O
R           E           E   I
A       E             P R
P         R             O D
T E R G E       E S O O G     O
                              O
                                W
```

Page 69

```
  T N E G A S W E N D O O R G
    E   A R T I C L E S   A           T
    S M A G A Z I N E S T     T       N
    U   T N I R P     E       S E D   E
    O P O H S   R     G   D   E N E   M
    H           E   A   A   T I L     E
C L A S S I F I E D S P   E B A L I   L
            E           U R R O L D V   P
L       C   V         O L   Y   A E     P
G E       O   E     U   T T     E R   U
N   T S E   L   N N   R     S   H       S
I     T E D   O D I O         D L O F
N     E R I   U P N K L A W
R       R U T S R   G Y     T B
O     H S   B T I       L L   C A   W
M   T   U L   O C O     I L   E G   E
  A     N   A   X I N   A U   L     E
P       D   D     P   D F   L     K
  R E P A P S W E N H S U P   O   L
      Y         O P E N       C   Y
```

Page 71

```
          H S I N R A V         M E
E V A W           T   H C T A C A L
        E R U T S E G N         S B E
R   F   F H E           I       S M L
E   A   I C L             E O     A U G
I   T G G E C     L T S B         G F N
O U E A E K I   R B E E B C A R E S S T
R N N T R S T E H M H I   I S   K   C N
B T   H     V C   U C Z R L   N     R U
M I   E   O T     R O E C I   I     A
E E   R C U       C R   S C   T     T H
      N L         C     E S       C
    U C       A P P L A U D T     N H E
      W H I T T L E       I   I       N
K     E Z E E U Q S       R P       G
L N   L R I W T       E T A R A P E S R
E E               C A R V E         A
E     A     N R A D               V
P       D         U N R A V E L     E
```

Page 73

```
E     G   A L L S P I C E         M
K     I   S A L T                 A
O     N             S E V I H C   N R
M     G   V     T A R R A G O N O O N O
S   M E   I R   S O Y S A U C E M J U N
    A R   N A               P E R T A
    C     E G         Y A B   E L A M G
    E     G U         Y       P L M E E
  G     D A S       P E T     P I   G R
C   A   I R       L A L   N   E V     O
V I   R L L     I   P S     I R R     D
A   N E L   E O     R R A O   M E     R
N   U N   I E N     I A N N Y   H     A
I R   A V C   N   K P I I R   C       T
L     I M     E A   S O A         C S
L   L   O     F   E N M         E U M
A   O         N             E     L M
            E M Y H T     S S A G E   E
    Y R R U C U M I N         O     R Y
  S E V O L C               R     Y
```

Page 75

```
_ _ _ _ _ _ _ _ O U T P U T _ H N _ _ _
_ _ _ S N _ _ _ G L O B E _ C O _ _ _
_ L _ E E _ _ _ G L A R E T E _ _ D _ _
_ A _ R G C L O U D E D I N _ _ O _ T
_ M L I O _ _ _ S _ S W F _ _ O _ R _
_ P O W L _ _ _ K _ S O _ I L _ E _ _
W E O _ A _ T T C _ _ C F L V _ _ _ R
E B K _ H _ L N A _ _ R _ K I A _ _ E _
R U _ _ _ O E R _ _ E N D E _ M M _ _
C T _ _ _ T V R T _ K R _ _ T M E _ _
S _ _ _ K N _ R _ _ C U _ _ I K G N _
_ D E C K E _ U N _ _ I B _ D C _ L _ T
_ _ P _ _ C E C O _ W L _ _ O _ _ O _
_ _ O _ _ S _ P S _ A F _ H P _ _ W _
_ _ S _ _ E _ _ I _ L _ S _ L _ _ _ _
_ _ T _ _ R _ _ D _ L _ R _ U H _ _ S
_ L E N S O _ _ E _ S _ A _ G _ A T _
_ _ _ _ _ U E L E C T R I C _ _ T N _
_ _ _ _ _ L F U S E _ _ L _ _ A _ _ G
_ _ _ _ _ F _ _ _ _ _ _ _ S _ W _ _ _
```

Page 77

```
_ S _ E T _ R U N _ _ _ _ _ _ _ _ _ _
_ C _ E _ H _ _ _ _ _ _ _ M _ _ _ _ _
I O H R S _ R _ _ _ R U G B Y U N I O N
N T A E G _ P O S T R L _ T _ P _ _ _
T L L F N _ _ W C _ A _ A _ S A _ _ _
E A F E I D _ K S _ _ O _ C _ I _ S _
R N T R W N P C E _ _ G _ K _ D _ _ S D
N D I _ _ A E I L _ _ _ L _ E _ _ N _
A _ M _ _ L N K A _ F T E _ _ _ A _ _
T _ E _ _ E A _ W _ _ U R T R Y L _ _
I _ R S _ R L _ _ O _ _ A G _ _ _ _
O _ O N _ I T _ _ E D R A W N T O U C H
N _ C A B _ Y _ N T _ T _ E D C _ _ _
A _ S F _ A _ I _ R S _ E _ U E _ _ _
L P P F _ T L _ E R _ A _ _ M H _ _ _
_ I O I _ _ A L _ V E _ _ M _ C M E _
_ T I D _ _ _ L _ N Y _ W _ _ T F S Y _
_ C N R _ _ _ _ K O A _ I _ A _ O _ _
_ H T A _ _ _ _ _ C L _ N M _ L U _ _
_ _ S C _ _ _ _ _ _ _ P _ _ _ _ L _ _ _
```

Page 79

```
_ _ _ _ _ _ _ _ _ _ _ P _ _ _ _
_ _ H T O O B _ _ E _ _ _ _ O _ _ _
_ _ _ _ _ _ _ _ D G _ _ _ _ U _ _
_ _ _ _ _ _ _ E A _ _ _ _ K N _
_ _ _ _ _ _ H C _ _ Y E _ _ E _ D
_ R O O S T _ S D _ _ _ T V _ N _ D
_ _ _ _ _ _ L _ W R _ _ _ S I _ N _ O
_ _ _ _ _ L _ A O I _ _ _ _ G H E _ V
_ _ _ _ A _ _ V C B _ D _ _ I L _ E
_ _ T _ _ _ I _ _ _ E _ _ _ _ P _ C
_ S _ _ _ A _ _ _ P H _ S _ _ _ O
C A G E _ _ R L _ E _ S _ _ _ _ T
_ _ _ _ _ Y _ A _ N _ _ _ T S E N E
_ E S U O H D R I B I _ W A R R E N _ S
D _ _ _ _ _ _ _ R _ _ _ _ _ _ _ U
E _ E L B A T S _ P _ _ _ _ _ _ O
N _ _ B A R N _ O _ _ _ _ _ _ _ H
_ _ _ _ _ _ _ O _ _ _ _ _ _ _ N
_ _ _ _ _ _ C _ H U T C H _ _ E
_ _ _ _ _ _ H C R E P _ _ _ _ H
```

Page 81

```
_ _ _ _ _ _ _ _ P O G O S T I C K _
_ H _ _ C A M E R A _ _ _ B E L T _
M A _ _ _ P O _ _ _ _ _ _ _ S U _
E R C O N E Z A _ _ _ _ _ _ A N _
G M _ _ M A S K R P L I E R S _ D I _ _
A O _ _ R _ C E A _ _ _ _ _ D C _
P N _ _ _ E L I _ C E _ _ E L Y _
H I C A P O C H _ S I H _ _ K _ E C _
O C _ _ B O S _ F T S _ U _ A _ L _
N A _ O N A _ _ K I _ O _ T R _ _ E _ H
E _ _ O S _ _ C _ _ L _ R _ E H A R P O
_ _ M _ _ _ E _ _ _ E _ S _ D _ _ _ E
T _ _ _ N _ H I G H C H A I R _ _ _ E
E _ B A T _ _ _ _ _ R W _ _ _ U _ T
U _ _ _ _ B E R E T E R _ _ _ _ M T
Q _ _ _ B A G P I P E L E _ _ _ _ E
C B O O K _ _ _ _ _ _ U N _ _ _ _ R
A _ _ _ _ _ _ _ R C _ _ _ _ _ R
R B I N O C U L A R S _ _ H B A T O N A
_ _ _ H O O P _ _ _ _ L A D D E R _ _ B
```

Page 83

```
_ _ _ _ _ C O N F O U N D _ _ _ _ _ _
_ D A U N T _ _ _ _ _ _ _ _ _ _ _ _ _
A _ _ _ _ _ _ W E I R D _ M A G I C _ _
_ S F E U D _ _ W I L L _ _ _ _ _ _ _ _
_ M T _ _ _ _ _ _ _ _ T M I R A G E N
_ L _ O _ _ _ _ _ _ R E _ N _ _ _ _ I
E E _ _ N _ _ _ _ _ _ I Z _ O F _ _ D
L H _ D _ I _ _ _ F _ C A _ N L _ _ N
B W E N I _ S A L I E N K D _ E A _ _ A
A R M I _ M L H R _ A _ S _ _ M B _ N T
K E A M _ L A _ _ I T _ _ F _ O B _ O S
R V L _ E _ C G _ _ S _ _ E _ N E _ V T
A O F P _ _ U _ E _ _ K _ E _ E R _ E U
M _ S _ _ R _ _ _ D S L _ H G _ _ L O
E _ D S _ I _ S _ _ R _ E _ P A _ _ _
R _ A D _ O S N T _ O S V _ _ S _ _ _
A _ Z A _ U H E N _ L T R _ _ T _ _ _
W _ Z E _ S O M U _ L U A _ _ _ _ _ _
E _ L R _ _ _ C O A _ _ N M _ _ _ _ _
D _ E D _ _ _ K _ H _ U N C A N N Y _
```

Page 85

```
_ _ D R O P S C H E A L T H _ _ L L E B _
_ B _ _ _ _ _ H _ _ _ _ _ _ _ _ S _ _ _
_ A _ _ _ _ _ E _ _ _ _ _ T _ _ L R _ _
_ B T _ _ _ C _ S D I K N T _ _ L E _ _
_ Y S _ _ _ K _ R _ _ _ E A _ I C _ N
_ _ E A _ _ U _ E _ _ _ _ _ M K P E _ O
_ _ R _ C F P A E K C I S C _ T E P _ I
L A E H E H D _ L _ _ _ _ C U _ N T _ T
_ _ E _ _ E _ A _ _ _ O _ _ R _ I _ P
_ _ L _ P _ _ M T _ L H U R T E O O I _
E _ _ _ A _ _ E A D _ _ U _ _ N _ R _
_ S _ A _ _ I _ F B _ S _ N _ _ I _ C
_ D L _ I _ _ N _ L _ P _ W _ _ _ S _ S
_ A _ U _ L _ P _ E _ O _ E _ _ _ T _ E
_ I _ _ P _ M _ _ T H T _ L I S T E N R
_ L _ _ _ U E E _ S G S _ L _ _ _ _ _ P
_ Y _ L _ _ S N _ U E N I C I D E M _
_ _ E L A M _ _ O T O L _ R O T C O D _
_ _ _ _ _ _ _ _ D C _ L R E Z Z U B _
_ _ W A I T I N G R O O M I _ _ _ _ _
```

Page 87

```
_ _ _ _ _ _ L O C K S M I T H _ I _ _
_ _ _ _ _ _ C _ _ _ _ _ E N S _ _ R G
_ _ _ _ _ _ I _ _ _ _ F _ A I _ _ O A
_ _ _ _ _ R N _ _ A _ _ I M _ _ N R
_ _ T _ H B E E _ _ C _ _ C E _ _ M D
_ _ O _ A U P M _ _ _ _ I H _ _ O E
_ _ Y _ B P A A _ T _ _ T C _ _ N N
_ _ S _ E _ R B _ A _ P _ P _ _ C G C
_ _ H _ R _ D I _ I _ O R _ O _ _ O E E
S _ O S D _ R N _ L _ S E _ _ _ B R N
N _ P U A _ E G _ O _ T K _ _ _ B _ T
A S _ P S _ C O _ R Y O A _ _ _ L _ R
C H _ E H _ O H _ _ T F B F _ _ E _ E
K O _ R E _ R A R _ E F _ L _ _ B R
B E B M R _ G L E _ I I _ O _ _ A _
A S _ A _ _ N L H _ C C _ R _ _ R _
R H _ R N _ E _ C _ O E _ I _ _ B _
_ O _ K _ K E _ T _ S _ _ S _ _ E _
_ P _ E _ _ R _ U _ _ _ _ T _ _ R _
_ _ _ T _ _ G _ B B U I L D I N G _ _ _
```

Page 89

```
_ _ _ _ _ _ K P A R K _ _ _ _ _ _ _ _
M C T E _ _ R _ C _ _ _ W I L D W E S T
I A O L E _ A _ T _ _ _ _ _ _ _ _ _ _
C S U P P _ P V S _ _ _ D I S N E Y _ C
K T R O O _ E I F I R E W O R K S _ _ H
E L _ E R _ M S A M U S E M E N T _ _ A
Y E _ P U _ E I _ _ S N O W W H I T E R
M _ _ _ E _ H T _ _ _ S _ _ _ _ H A _
O _ _ _ _ _ T R C S _ T E _ _ _ O C
U _ _ _ M _ E O R T _ L N _ N _ H T T
S _ _ _ A _ V S O E _ _ U T S O _ O E E
E R _ _ G _ I E W E _ D E I I T R L R
_ I _ _ I _ T R D R _ A R R T H S S S
_ D X _ C _ S _ S T E _ _ T A A R E
_ E E _ A _ E _ _ S C _ _ A P C I S _
_ S L _ L _ F _ _ _ N _ _ I _ A L _
_ _ P _ _ _ _ _ A _ _ N _ V L _ _
_ M _ _ _ _ _ _ R _ _ _ _ S _ _ _
_ _ O _ G R A N D _ F _ _ H U G E _
_ _ C _ C H I L D R E N _ _ _ _ _ _
```

Page 91

```
_ _ _ _ E _ _ H C E E P S _ _ _
_ _ W O R D _ S _ _ _ _ T _ E T I R W
S _ _ _ _ _ O _ _ _ _ _ O M U S I C
C _ R E P O R T _ R T R I G _ R S Y _ Y
I _ _ _ _ R E A D P _ _ S G _ P G _ R
M Y R O T S I H _ _ _ D T E _ E O H A
O _ _ G E O L O G Y _ _ L U O _ L L Y R
N _ _ L _ L O O H C S _ I D G E L O G B
O T _ O A _ T _ _ S _ _ U Y R S I I I I
C A _ G M _ E _ _ D I _ B _ A S N B E L
E P _ I A _ A _ _ Y E L _ _ P A G _ N P
_ E _ C R _ C _ _ _ R S G _ H Y _ A E E
G S _ _ D _ H _ D _ Y T K N Y _ R L R N
R A _ _ E _ E _ E M R _ E K E B _ E _ R
D R A D I O _ P R G E A _ G P E _ T _ M
E M H _ _ _ A _ E _ M _ L L A _ _ U _ M
S _ T _ _ P _ _ E _ O A A R _ _ R _ A
_ _ A _ E _ _ _ _ _ E Y C _ _ _ _ E _ R
_ _ M R _ A R T _ _ G H C O L L E G E G
```

Page 93

```
_ _ B _ _ _ _ _ _ V I N F R A R E D _ _ _
_ _ L _ _ _ _ _ A _ _ _ _ G E Y S E R
_ _ A C _ A G L O W P _ _ R I G N I T E
_ L S O _ A R S O N _ O E _ E _ _ E _ F
_ A T O _ F _ _ _ _ V U B _ M L _ _ L
_ N I K A _ U _ _ E _ K R R G B _ _ A
F O N I N _ R R _ F _ _ I _ _ N A _ E _ S
_ I G N U S N P A _ _ _ N I _ _ N _ R H
_ T E G A U A B A N _ _ D _ _ _ D _ _
_ C C R S L C _ A R G _ L _ _ _ _ _ E _
_ E I _ Y T E D R L C E E P O A C H _ D
_ V E _ _ R _ A E _ E H D _ _ _ _ _ _
_ N D _ _ Y E _ N F _ F T H A W I N G
_ O _ _ _ S _ _ D N R K I S T A R S _ F
_ C _ _ _ _ _ R L _ E O I R _ _ _ _ R
_ C I N D E R E A _ C A S L E _ E _ _ I
A R D O U R S N C _ O _ L T N _ S _ _ E
_ _ _ _ _ I _ R S _ A _ _ S S S U _ _ D
_ _ _ _ _ F _ U _ L _ _ _ _ _ _ F _ _
F L A R E A _ B _ _ S _ R A D I A N T _
```

Page 95

```
_ _ _ S C A L E _ _ _ _ E S U A L C _ _
L _ _ _ W A R D _ _ H C N A R B R U P S
I _ _ _ _ _ _ _ _ _ N O I T R O P _ _
M _ _ _ _ _ _ _ V L _ _ _ _ _ _ T
B L E C R A P _ _ W I N G E _ _ E _ N
_ E _ _ P I E C E _ _ S R _ _ S _ I
_ _ _ N S _ _ I T E M _ _ R _ S _ O _ O
_ _ _ D H _ _ _ _ _ O _ _ _ E D C J
P _ _ _ R _ P _ _ M _ _ S _ H _
G A _ _ _ E _ I _ _ _ _ _ L _ A _
_ E R C R U M B D _ _ N _ _ _ _ I _ P _
_ _ L T T W I G _ _ _ S _ F O C _ T _
_ _ _ N O I S I V I D _ R R E _ E R
_ S E C T I O N _ L _ _ A G K _ R A
_ Y A R P S _ A O _ L _ C A C _ _ S
_ B S C R A P I _ B _ U _ T N A _ _ H
_ I _ _ _ T _ E _ M _ I _ N _ _ E
_ T _ _ R _ _ _ P _ O _ S _ R
_ _ _ _ A _ _ _ _ _ N _ _ _ _ _
_ _ _ P _ _ _ _ S E C T O R E V I L S
```

Page 97

```
C _ _ N _ P _ _ _ D _ _ _ _ M I X L
E O _ E _ _ _ L _ M I _ _ _ W S _ I
D _ N _ P _ _ _ _ E R N _ _ _ E S S B
I _ _ V O D A T E T A E _ _ _ L U M E
S S _ E G _ _ O W S _ _ _ C C I R
E A _ K _ R A _ _ U _ _ A _ O S L A
R L _ _ I _ S T _ C _ _ N _ M I E L
P U R _ E S _ E H H _ _ _ T _ E D _ V
_ T I _ C _ S T _ E _ _ P R E S E N T I
I E A _ A _ E S _ _ R _ _ _ P _ _ _ S
N _ F _ R L _ E _ _ _ C _ _ A _ _ H I
V _ F _ B T _ U _ L S _ L _ _ R _ S O T
I _ A A M I _ G _ A D _ G O _ T Y U S C
T _ I _ E M M R _ I R _ E _ S Y L O T O
E M _ _ _ E I E _ D A _ N _ T E D I _ N
A _ _ _ _ N C _ R G _ I S _ _ N C _ F
A _ H U G G E _ O E _ A _ _ E A _ E
A _ _ _ L I _ C R O L _ _ _ I R _ R
H _ _ _ E V _ _ T _ _ _ R G _ _
C _ _ _ L O V E _ _ _ G R E E T F _ _ _
```

Page 99

```
T _ T _ _ _ _ _ R _ _ _ _ _ C _ _ _ _
N _ E I _ _ _ _ E _ _ _ _ _ E _ _ _ _
E _ _ C C _ _ _ T _ _ _ B _ _ R L _ _
M _ _ A K _ S _ _ _ L _ _ T L _ _
U _ _ _ R E _ I _ A M E M O I O _ _
C _ _ _ _ T T G _ N _ _ _ F R _ _
O _ _ _ _ _ E K _ _ _ _ _ I C _ _
D _ _ T _ _ R _ _ _ _ _ C S _ _
_ _ _ S _ _ _ _ _ _ _ A _ C S
_ _ I T I V A D I F F A A _ _ _ T _ H C
_ L _ _ _ _ _ _ E _ N _ _ E _ R R
A R C H I V E S G _ N _ _ _ I _ _ O I
_ _ _ _ _ _ _ I _ A _ _ _ T _ _ N P
_ _ _ _ T _ L _ _ _ E _ Y _ I T
E _ _ _ _ S _ S _ _ _ M _ R _ _ C _
T _ _ _ E A C C O U N T _ T _ _ _ L
O _ _ V _ _ _ _ _ _ N _ _ _ _ _ E _
N _ _ L L O R _ _ E D I P L O M A _
_ _ _ P A P E R M R O F _ R E H C U O V
_ _ _ _ _ _ _ _ _ _ R E L I C _
```

Page 101

```
_ _ K _ _ _ _ _ _ _ W O L L A W S N _
_ _ _ C M P K C A B S A V N A C _ I _
K _ _ O O A A _ T U R K E Y _ D F _
R _ _ N _ C C R _ O _ _ _ O F H _
A C _ D _ _ A A A _ G W _ V U E T E A L
L O _ O _ _ _ E W K O N E P R _ _
W C L R L O O N P R E _ I O O K C U C _
O K _ W _ _ _ C _ E N M _ T E R G E
D A _ _ O _ S I B I _ _ T _ A _ _ _
A T _ C _ _ R _ _ P G _ _ _ L _ _ _
E O _ O _ _ R O _ _ H N _ _ _ F _
M O _ O _ E _ Q B _ _ E I _
_ _ _ T K C _ _ U I N H A L _ R A V E N
_ _ _ C A _ _ _ A N A A S R _ R H E A
_ _ I N _ _ _ _ _ I _ W W A A _ _
_ L A _ _ H O R N B I L L S K N T _
F R P A R R O T _ G U L L _ _ _ T S K
Y R E L B R A W K N I L O B O B _ _ I
C A R D I N A L C O R M O R A N T _ T _
_ _ _ _ _ K C U D S W I F T _ E
```

Page 103

```
L I N E A R _ _ _ E _ _ _ _ _ _
T E A R A W A Y _ G _ _ T _ _ M _ _
_ _ _ _ R _ R _ N W _ _ S P E A R _
_ _ _ A A _ A T _ E E _ _ A _ _ _
_ _ _ _ E _ R S _ _ N A C L E A R I N G
D _ _ W G R E R R R _ _ R R _ _ _ H D _
E _ S _ A R A A A _ A _ Y _ _ E E _
A _ _ E A E E E D _ E S _ P _ _ R A D N
R _ R E D L _ E _ B _ R _ R E A E R R R
E U N _ C _ N H E _ _ A A _ E A A T A A
S N _ U B R _ R E _ _ E _ M _ _ R _ E E
T E N _ A L O _ Y A H H S _ _ _ E L B Y
_ A _ E S F E R E R R S _ _ _ D _ S S
_ R L _ _ E A A E A _ D _ _ E S R L R
_ T _ _ _ E A V R _ R R _ _ R A U _ A
_ H _ _ R _ O R _ Y A M _ _ A E F R _ E
_ L _ D _ _ _ S E _ _ A E P R _ _ L W
_ Y _ _ _ _ _ _ _ P _ _ _ H R A _ _ _ Y
_ _ _ _ _ _ _ _ P _ _ _ _ E K _
_ _ _ _ _ Y E A R S _ _ _ F B U G B E A R
```

Page 105

```
S _ _ _ _ _ O I L _ F I S H B A L L S _ _
Q _ _ _ _ _ _ _ _ _ _ _ _ L _ _ _ _
U _ W _ _ _ _ _ _ _ _ _ _ O _ _ _ _
I _ W A T E R C H E S T N U T S _ _ S _
D _ _ E L P _ _ _ _ _ U _ N _ _
_ _ E _ R N _ _ _ _ _ S _ W _ _ _
_ W _ A _ _ U L M _ _ _ T _ G A R L I C
S _ C L _ _ I T _ A _ _ L _ R _ B _ _ S
_ _ _ Y A _ S _ N _ A P _ _ E _ _ T
D U C K U C _ _ R _ G S N K E A _ H E
_ _ _ Q S P H _ _ I _ O O R M N _ A A
_ _ _ S O E E _ _ C _ O O A S B M M
_ _ _ _ O U P E _ _ E D P S P A _ E
_ _ _ _ _ Y P P _ N _ L _ E R M B D
_ G I N G E R _ _ E _ I _ E _ S O B A B
_ _ S E _ _ _ _ _ R F _ _ _ _ U O R U
_ H _ G _ _ _ _ _ _ _ _ _ T O C N
_ A _ _ G C O R N S O U R _ S _ _ S
_ R _ _ S _ _ _ D U M P L I N G _
_ _ K _ _ _ _ _ _ C U R D _ _ _ _
```